スイスの
素朴なのに
優雅な暮らし
365日

アルプスと森と湖に恵まれた

小さな国の12か月

工藤 香

KAORI KUDO

JN027212

JIYUKOKUMINSYA

Einführung
はじめに

　Grüezi！　この本を手に取ってくださり、ありがとうございます。『スイスの街角から』というブログを運営している、工藤香と申します。ブログでは、Apfel というハンドルネームで 15 年間、さまざまな角度から眺めたスイスの魅力を発信しています。このたび、自由国民社さまよりお声がけいただき、ガイドブックだけでは知られていないスイスをエッセイとして執筆いたしました。

　九州と同じくらいの面積のスイスには、公用語が 4 つあり、地域により文化や生活習慣が異なります。この本では、自身の住まいのあるドイツ語圏 チューリッヒ州での習慣や風習、そして、ドイツ語での名称がメインとなっていますが、スイス各地を巡って撮影した写真がいっぱいつまっています。

　世界金融の中心として知られる国でもありますが、豊かな自然を愛する人達に囲まれて生活する中で、ちょっと意外な習慣や伝統などに気づいたこともあります。そうしたところも含め、スイスに 20 年近く住んだ私の目で 365 のトピックを選び、日めくりカレンダーのように綴りました。関連のある話題には、→30/365 のように該当するページへのリンクを示しています。最初から順番に読んでいただいても、お好きな日付から読んでくださっても楽しめるはずです。ページをパラパラとめくり、気になる写真やご興味のあるテーマからご覧になられても、365 日のスイスの生活風景を感じていただけそうです。

　雄大なアルプスに囲まれたハイジの故郷の魅力が、どうか充分みなさまに伝わりますように。

工藤 香｜Kaori Kudo

1 | April

4月1日

春の訪れ

　4月1日はエイプリルフールですが、スイスではこれに関する特別な習慣はありません。もともと生真面目な人々が多く住む国なので、この日に特別なジョークを言い合うこともないようです。この時期になると春の花が咲き、ポカポカ陽気の散策日和が続きます。長い冬に終わりを告げ、春へと季節が移り変わるのを感じさせられます。桜もちょうど見頃を迎えます。桜は濃いピンクがかった品種が多いので、遠くからでも目を引きます。春の訪れに心がときめく季節は、日本のお花見が恋しくなるシーズン。スイスでは桜の木の下に座ってお花見できる場所は少ないのです。桜の木々は建物の脇に植えられていたり、桜並木として通りに並んでいることが多いです。座って桜を眺められる場所もありますが、ベンチが置いてある程度。日本のようにレジャーシートを敷き、のんびりとお花見できる機会は滅多にありません。桜の木の周りを散歩しながら、日本を懐かしむ季節でもあります。

4月2日

グリュエッツィ (Grüezi)

　スイスでは「こんにちは」を意味する「グリュエッツィ (Grüezi)」をよく耳にします。スイスのドイツ語圏で使用される挨拶の言葉で、私が初めて覚えたスイスドイツ語 →138/365 でもあります。「グーテンモルゲン（おはよう）」と「グーテンアーベント（こんばんは）」は朝晩の挨拶、「こんにちは」は「ハロー」「ホイ」など、相手との間柄により使い分けますが、「グリュエッツィ」は朝から晩まで世代や性別に関係なく使用されるのが特徴です。スイスに来て最初に驚いたのが、この挨拶の言葉が、道端ですれ違う人やバス停での待ち時間、スーパーのレジでなど、面識のない人との間でも頻繁に交わされること。住んでいる環境や年代によって例外もありますが、郊外の町ではこれが意外と普通なのです。チューリッヒのような大都市では、お店以外では知らない人に挨拶はしませんが、我が家の周りでは、見ず知らずの人達とも毎日「グリュエッツィ」の挨拶を交わしています。

4月3日

ルクセンブルゲルリ

　スイスのマカロンと呼ばれているのが、チューリッヒの老舗のお菓子屋さん、「シュプルングリ（Confiserie Sprüngli）」の焼き菓子「ルクセンブルゲルリ（Luxemburgerli）」です。スイスドイツ語では、お菓子やパンなどの小さなものや小型のもの、かわいらしいものなどに「li（リ）」をつけて呼びます。見た目はマカロンですが、使用する材料が異なり、お店の特別製法で毎朝製造されています。定番の味は十数種類。アルコール入りとなしを選べますし、季節ごとの限定フレーバーも登場します。地元の人々はもちろん、旅行者にも大人気のお菓子で、日本のガイドブックでも紹介されています。お土産用に箱入りもありますが、自宅用はグラム単位や個数での購入も可能。ショーウィンドウに並ぶルクセンブルゲルリを、端から1個ずつ全部の味を試してみることもできます。私のお気に入りはシャンパン味。夏のパッションフルーツや、秋の洋梨など、季節ごとに楽しめるお菓子です。

4月4日

アウグスティーナーガッセ

「アウグスティーナーガッセ（Augustinergasse）」は、旧市街へと続くチューリッヒの歴史的な通りの1つで、絵画のように美しいと謳われています。チューリッヒらしい雰囲気が素敵で、私のお気に入りのスポットです。地元の人々や旅行者で賑わう通り沿いの色鮮やかな建物には、多数の彫刻が施された木製の出窓がついているのが特徴です。アウグスティーナーガッセはその昔、チューリッヒの中世の職人の故郷でした。17世紀以降、裕福な工場の所有者がこの界隈に定住しました。出窓は外の灯りを部屋の中に取り入れて明るく保つ目的の他、外から訪ねてくる招かれざる客人を確認する目的で使用されていたそうです。これらの建物は現在、地元でも人気のレストラン、ショップなどに生まれ変わっています。スイス国旗が掲げられたカラフルな色合いの建物が並ぶ通りは、映えるスポットとしても人気で、いつも世界中から訪れる人々であふれています。

4月5日

国花 エーデルワイス

　アルプスの高山の片隅にひっそりと咲くことで知られるエーデルワイスは、スイスの国花です。隣国オーストリアの国花でもあります。スイスでは、エーデルワイスは古くから薬品や化粧品等にも使用されてきました。近年では鑑賞用として、夏が近づくと街のお花屋さんで鉢植えや切花 →101/365 なども見かけます。山岳地帯の観光地を訪れると、エーデルワイスのナチュラル石鹸や、自宅で育てるためのキットなども販売されています。スイス国民はこの花を国のシンボルとして捉えており、いろいろなところで花のデザインを見かけます。スイスに住み始めた当初は、観光地以外の日常生活の場面に、エーデルワイスがよく登場することに驚かされました。大人の帽子やシャツなどにもエーデルワイスのデザインがあり、愛国心の強さを感じさせられます。私もエーデルワイスの絵柄のキッチンツールやタオルを愛用中。自宅で育てるキットも購入してみました。

4月6日

アスパラガスの季節

　春がやってきたと感じるのが、緑と白のアスパラガス「シュパーゲ
ル（Spargel）」を店頭で見かけるようになったときです。2月に入る
とスーパーにはまず外国産のアスパラガスが並び始め、4月から5月
頃にかけて、スイス国産のアスパラガスも出回ります。外国産よりも
国産のほうが高額なので、出始めの頃に外国産を思いきり食べだめす
るという知人もいます。旬のアスパラガスは大きなお鍋でゆでて、
熱々の上にオランデーズソースをかけていただくのが一般的な食べ方
です。ソースを手作りする家庭もありますが、できあがったソースが
パック入りで購入できるので、温めてかけるだけでおいしいです。ア
スパラガスはバンドでくくられた大きな束（1kgか500g）で販売され
ているのをよく目にしますが、お店によっては好みの分量を、量り売
りしてくれます。我が家は500gで購入することが多いですが、夫婦
2人暮らしには十分すぎる量で、数日間はアスパラづくしです。

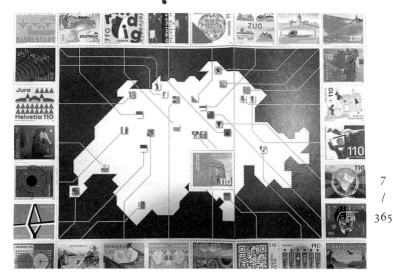

4月7日

異なる言語

　スイスの公用語はドイツ語、フランス語、イタリア語、ロマンシュ語 →233/365 です。九州とほぼ同じ面積に4つの言語が共存しています。私の住むチューリッヒ州はドイツ語圏です。第二外国語と呼ばれる言語はフランス語ですが、観光地でもあるチューリッヒ地区では、第二外国語をフランス語から英語に変更するという動きが出ていたこともありました。特に若い年代の人を中心に、英語への関心が高くなっています。ドイツ語圏の学校ではフランス語の授業はもちろん、ラテン語も必須科目となっている学校もあります。スイスのドイツ語圏で話されているドイツ語は、「スイスドイツ語」 →138/365 と呼ばれる非常に訛りの強い言語で、これはドイツで使用されているドイツ語とは異なります。各地のお国訛りはスイス人同士でも理解し合えないことも多々あり、育った町が違えば、同じドイツ語で話していても、異なった言語に聞こえてしまうようです。

9

4月8日

春の散歩道

　住まいのある町は、チューリッヒ市内から車で20分ほどのところにある静かで穏やかな郊外にあります。ここは住宅街から数分歩いただけで驚くほど自然あふれる景色が広がっています。いくつかある散歩道ではペットのワンちゃんと共に歩く人々が多く見られ、時には乗馬中の人とすれ違うことも。周りにある農場の囲いのすぐ向こうには、牛や山羊、羊などが放牧されています。この地に暮らし始めてからカウベルの音を日常的に聞くようになりました。遠くのアルプスとキラキラと輝くチューリッヒ湖の景色を見渡しながら、私もよく散策を楽しんでいます。散歩道は高台の住宅街よりもさらに小高い場所にあるので、4月でも雪が残っていることがあります。歩き疲れたらところどころに設置されているベンチや水飲み場で休憩。散歩道の終わりにある食堂では、テイクアウト用のスナックなどが売られていて、ビールを片手に焼きソーセージ →62/365 を食べる人達の姿もあります。

4月9日

復活祭

　イエス・キリストが蘇った喜びを記念する「復活祭（Ostern）」は、最も重要なお祝いの日の1つです。復活祭の日にちは毎年変動します（2024年は3月31日）。復活祭が近づくと、お店にはウサギ型のバニーチョコや、卵型のお菓子、ニワトリのキャラクター商品などが並びます。ニワトリは卵を産むことから「生命の誕生＝キリストの復活」を意味します。ひよこが卵の殻を割って出てくることが、キリストの蘇りを連想させることから、卵が復活の象徴となっているそうです。多産のウサギは生命の象徴でもあり、ぴょんぴょん跳ね回る様子が生命の躍動を表しているという説もあります。復活祭のときは家族が集い、お祝いの食卓を囲むのがもともとの習慣です。色鮮やかな色に染められた卵を探し出すエッグハントや、卵の殻を割らずに転がす卵転がしなど、子ども達の遊びもあります。復活祭はクリスマス同様に、人々にとって大切な日なのです。

4月10日

スイスの魚料理

　海に面していない国スイスでは、20年近く前まで、魚を食べると
したら、湖で獲れる淡水魚がほとんどでした。現在はスーパーの鮮魚
コーナーに輸入品の海の魚が並び、恵まれた環境になりました。湖の
魚は今でもスイスの人々に好んで食べられます。春から秋頃まで、レ
ストランのメニューでよく目にするのが「エグリ（Egli）」。エグリは、
「ヨーロピアン・パーチ」と呼ばれる淡水魚です。夏になるとレスト
ランのテラスでは、エグリのフライを食べながら賑やかに語らう人達
の姿をよく目にします。普段は海水魚を好む私も、スイスドイツ語で
「エグリクヌスペリ（Egliknusperli）」と呼ばれるこのフライは好きで
す。日本で食べる白身魚のフライに近い味で、タルタルソースをつけ
ていただくシンプルな料理なのですが、カリッと揚がった白身はおい
しく、白ワインにも合います。特にその日の朝の獲れたてを、湖岸の
景色を眺めながら味わうのが最高です。

4月11日

噴水が薔薇で満たされる日

　復活祭 →9/365 シーズンのチューリッヒの新名所に、薔薇の花が浮かぶ噴水が加わりました。チューリッヒ市の教会が共同で行う企画で、復活祭前後に市内数か所の噴水が薔薇の花で満たされます。写真は市内の「ミュンスターホフ（Münsterhof）」にある噴水。カラフルな色の薔薇で満たされた噴水の周りには、写真撮影をする大勢の人達や、水に浮かんだ薔薇の花を優しく手に取って、香りをかぐ人の姿もあります。世界的な新型コロナウイルスのパンデミックが本格化した2021年、チューリッヒの一部の噴水を薔薇の花で満たそうという試みが開始されました。困難なときだからこそ、すべての人の心に希望をもたらそうという願いがこめられています。水に浮かんだ色鮮やかな薔薇の花を眺めていると、日本の神社やお寺にある花手水が思い出されます。花が水に浮かぶ美しい光景が、人々の心を豊かにしてくれるのはどこの国でも変わりません。

4月12日

赤ちゃんが生まれたら

　スイスではときどき「赤ちゃんが生まれました」というサインを見かけます。生まれたばかりの赤ちゃんの名前をプレートに記して窓の外に飾ったり、庭に立てたりすることが多いです。日付が書かれている場合は赤ちゃんの生年月日です。同じ敷地内にいくつもの別々のサインが出ているのを目にすることもあります。この「赤ちゃんが生まれました」のサインは、もともとはコウノトリの看板が多かったのですが、最近ではコウノトリだけではなく、男の子や女の子のかわいらしいデザインだったりします。木の上にリボンを結んだり、おもちゃを乗せるなど、飾りつけをする地域もあります。木は成長の象徴だと見なされているからです。飾りをつけた木は親族や友人などからプレゼントされるそうです。スイスでは、赤ちゃん誕生の幸せな気持ちを、他の人にも知らせて分かち合いたいことから、こんな習慣が残っているのです。

4月13日

緑豊かな広場

　チューリッヒ市内には、緑豊かな広場がいくつもあります。教会やデパートの前など、ちょっとしたスペースにそうした広場が設けられています。都会の喧騒から逃れられる広場では、仕事や買い物途中にベンチに座って休憩している人々の姿や、ベビーカーに乗った赤ちゃんと散歩中のママ達が芝生の上でしばしのんびりとくつろぐ姿も見かけます。チューリッヒ市内にある聖ヤコブ教会は、威風堂々とした正面デザインが印象的な、ドイツ初期ルネッサンス様式の教会で、建物は 1899 〜 1901 年にかけて建設されました。この教会の前にも緑に囲まれた広場があり、お天気の良い日には芝生の上に市民が集ってきます。春になると広場の周りには桜 →1/365 とマグノリア →354/365 が咲き、それは見事な景色。ランチタイムには、近くで働く人々もここにやってきて、自然に触れ合いながら食事します。

4月14日

色とりどりのエコバッグ

　スイスに住み始めた20年近く前から、エコバッグを片手に買い物に出かける人々の姿は、既に日常の光景でした。今は当時に比べると、エコバッグの素材も進化し、デザイン性に富んでいるものが増えたと感じます。スイスらしいモチーフをデザインした、カラフルなものが多いのも特徴です。薄くて丈夫で、シワになりにくいので、外出時に折りたたんでバッグの中に入れて持ち運ぶのにも便利です。スーパーMIGROS →57/365 やCOOPで購入するのですが、季節ごとにデザインが変わるので、同じデザインは二度と出回らないことも。ですから、気に入ったものがあれば、迷わず購入します。物価の高いスイスでありながら、1つが300円前後という価格も魅力で、お土産用にまとめ買いすることもあります。レジ袋の有料化が義務づけられた日本へのお土産にも、喜んでもらえます。

4月15日

スイスチーズ

　スイス人1人当たりが年間に消費するチーズの量は平均で10kgを超えています。日本人1人当たりの年間消費量、約2.2kgと比べると、スイスがチーズ大国であることを実感します。スーパーのチーズ売り場には、それはさまざまなタイプのチーズが並んでいます。スイス産チーズを筆頭に、最近ではフランス産チーズもよく見られます。20〜30種類近くのチーズがずらーり。スイスならではの光景です。私がスイスに住み始めた頃は、チーズに限らず国産品を好んで消費する人がほとんどで、店頭に並ぶチーズもほぼすべてがスイス産でした。近年ではおいしいものはおいしいと認め、外国産を受け入れる人も増えたようです。寒い季節が近づくと、チーズフォンデュ →240/365 やラクレット →309/365 など、自宅調理用にパックされた商品が並びます。おいしいチーズとワインで、会話も弾み、幸せなひととき。秋に出回るブドウに、おつまみのチーズもよく合います。

4月16日

セクセロイテン

　チューリッヒの春に見逃せないのが「セクセロイテン」です。「ツンフト」と呼ばれる職人・工業組合の人々の間で行われた祭りを起源とする、春の訪れを祝う伝統行事（春祭り）です。昔は夏の労働時間の終わりを告げる時刻の午後6時を、教会の鐘の音で知らせていました。そのため、ドイツ語の「6」を意味する「Sechs（セクス）」と、鐘の音を意味する「Läuten（ロイテン）」が組み合わさり、誕生したと伝えられています。現在の祭りでは、昼間は仮装した子ども達や、当時のツンフト達の姿を再現する伝統衣装をまとった人達が、市内をパレードします。ブラスバンドの演奏とともに、総勢4,000人近い人々が集まります。沿道では家族や友人などが、パレードするツンフトに花束を渡すのも習慣で、少しはにかみながらも誇らしい様子のツンフト達の表情も印象的。午後6時になると、冬の象徴である雪だるま「ベーグ →17/365」を燃やして、祭りはクライマックスを迎えます。

4月17日

雪だるまで夏を占う

　セクセロイテン →16/365 は毎年テレビ中継されるほど、チューリッヒの大規模な春祭りです。祭りの名物は、市内のオペラハウスに面したセクセロイテン広場に設置される、冬の象徴ともいえる雪だるまの形をした人形「ベーグ（Böögg）」のちょっと過激な占いです。ベーグは、13mの高さに積み上げられた薪（たきぎ）の山の上に立てられ、火をつけてから燃え尽きるまでの時間で、その年の夏を占うのです。午後6時きっかりに、合図の音とともに藁（わら）に火がつけられます。燃えるベーグを取り囲むように、馬に乗った騎士の装いの男性達がぐるぐると周回し、お祭りムードがどんどん高まります。そして、雪だるまが大きな音を立てて爆発する瞬間、子ども達は泣き叫び、大人達は口笛と拍手喝采の大歓声。かなり衝撃的な瞬間です。ベーグが頭まで燃え尽きる時間が早ければ早いほど、天気の良い日が続く美しい夏を迎えられるといわれていますが、占いの的中率は低めかも!?

4月18日

おしゃれなフェリックスカフェ

　スイスには、数百年前に建てられた建築物が現存し、チューリッヒにも古い建物が残っています。内部は近代的に改装され、商店、レストランやカフェ、マンションなどに様変わりしている建物もあります。1800年代に建てられたビルの中にあるカフェ、「フェリックス（Café Felix）」もその1つ。シャンパントリュフで有名な「トイスチャー（Confiserie Teuscher）」のカフェです。らせん階段がひときわ目立つ店内は、貴族が集うサロンにいるかのような内装も魅力です。地元の人々や旅行客で賑わうカフェのメニューは、チョコレート系の飲み物だけで1ページを占め、チョコレート大国スイスを実感します。カフェラテを注文すると、コーヒーと温めたミルクが別々に提供され、好みの濃さのカフェラテを味わえます。グラスに入ったカプチーノ「ラテマキアート」や、種類豊富なお茶、トイスチャーのチョコも一緒に、優雅なひとときを過ごせます。

4月19日

パプリカチップス

　「ポテトチップスといえばこれ！」と言っても過言ではないほどスイス人に愛されているポテトチップスが、「パプリカチップス」です。中でも、家族経営で60年以上の歴史を持つスイスのメーカー「ツヴァイフェル（Zweifel）」の商品は、スイスでチップス製造のパイオニアとして今日まで続き、一番人気です。人々の生活には欠かせないパプリカチップスを、スーパーやキオスクで見かけない日はありません。最近では種類も販売するメーカーも増えてきましたが、私がスイスに住み始めた当時は、ポテトチップスといえば、同社のシンプルな塩味かパプリカ味、この2種類でした。「どんな味がするのだろう？」と、興味津々で味わった記憶が蘇ります。スモーキーなパプリカの香りと、スイスのアルペンソルトで味つけされた、ちょっとピリ辛なポテトチップスは、おやつにもお酒のおつまみにもぴったり。年代を問わず愛されており、私にとってもお気に入りのスイスの味です。

4月20日

スイス人の気質

　スイス国内でも地域により、人の習慣や気質は違います。ドイツ語圏の都市バーゼルに住む知人から、チューリッヒとの気質の違いを聞き、なるほどと感じた例え話があります。ある人が勤務先で着用するスーツ5着を新調するとします。チューリッヒ人は毎日違うスーツを着ようと、5着異なるものをオーダーします。けれどもバーゼル人の場合、5着まったく同じデザインのスーツをオーダーし、それを毎日取り替えて着用。決して同じものを連日着るわけではないけれど、周りの人から見れば、同じ服を着ているように見えるということだそうです。同じデザインのスーツを毎日交互に着用しているバーゼル人が実際にいるのかどうか定かではありませんが、わかりやすい例えだと感じました。チューリッヒ人が派手だという含みもあったのかも？生活そのものは豊かだけれど、質素に暮らすことを美徳だと考える土地柄が、それとなくうかがい知れるお話です。

21 | April

4月21日

スイスという国の名の由来

　スイスという呼び名は、フランス語の「Suisse（スイス）」からきているといわれています。Suisse の語源はドイツ語の国名「Schweiz（シュヴァイツ）」だそうです。Schweiz の語源についてはいくつかの説があります。1つは酪農場を意味する「swaijazari（schweizerei）」で、これが訛って語源となったという説。Schweiz は、建国の3原州に含まれる中央スイスの州「Schwyz（シュヴィーツ）」に由来します。1291年にスイス連邦の基盤となる同盟を結んだシュヴィーツ州は、スイスの誕生に深いかかわりのある場所です。しかし、スイスの公用語は4つあり、1つの言語の名称を国名として採用することはできないため、現在、スイスの正式名称はラテン語を用い、「Confoederatio Helvetica（コンフェデラチオ・ヘルヴェティカ）」と制定されています。ヘルヴェティアの連合という意味で、かつてスイスに居住していたヘルウェティイ族に由来しているそうです。

4月22日

トラム（路面電車）が走る街

チューリッヒを走るトラム（路面電車）は、チューリッヒ州の旗の色である青と白のデザインの車両が多いのですが、広告を載せたカラフルなラッピング車両 →239/365 もよく目にします。チューリッヒ市のトラムネットワークはほとんどの場所を網羅し、市民の足として重要な役割を果たしています。乗り換えも簡単で、市内どこにでも行ける利便性も魅力です。バスや電車、フェリーなど、他の公共交通機関もそうなのですが、トラムもほぼ時刻表どおりにやってくるのがすごいところ。観光事業の一環として、シーズンごとにさまざまな趣向を凝らした観光用の貸切トラムもあり、「チョコレートトラム」や「アペロトラム」、冬季には「チーズフォンデュトラム」も走ります。クリスマスの前には、子ども達専用のかわいい赤い車体に天使やサンタクロースの絵が描かれた「メルリトラム →263/365 」が運行されます。

4月23日

週末のパン Zopf

　週末になるとよく目にする、「Zopf（ツォップ／「ツォップフ」とも）」というパンがあります。ツォップは15世紀にスイスのパン職人により作られたパンだといわれています。女の子のおさげのような特徴的な形をしたパンの名前は、見た目どおりの「編み込み」という意味です。スイスでは日曜日や祝日の朝、このパンを食べる習慣があります。材料は、小麦粉、卵、塩、砂糖、バター、イースト、ミルクとシンプルで、日本人の口にも合います。ドイツにも同じ名前のパンがありますが、お味はドイツのほうが少々甘めだそうです。スイスの多くの主婦は週末になると、このパンを焼きます。紐状に伸ばした生地を、左右上下と交互に編むのを繰り返しながら、おさげの形を作るのがポイント。コツがいることは確かですが、毎週作っているスイスの主婦達は、あっという間に編み込みを完成させます。ツォップは週末になると、パン屋さんやスーパーなどでも販売されています。

4月24日

Gratis !

　近所を散策していると、ときどき、「Gratis（無料）」と書かれた紙が貼られた、さまざまなものが道端に置かれているのを見かけます。それは家の前だったり、道路脇の歩道だったりします。Gratis はドイツ語で、「無料で差し上げます」の意味。早い者勝ちで希望者がいれば、見ず知らずの人が持ち帰って良いというサインなのです。私も自宅マンションの共有エリアに、Gratis と書かれた、非常に状態の良い大型プランターを見つけたことがあります。同じマンションの住人が使用していたものなら大丈夫だろうと判断し、いただきました。今ではベランダ菜園で大活躍中です。道端に置かれているものは、簡単に持ち帰れるものもあれば、中には 1 人で運ぶのが無理な大きなもの、状態があまり良くないものもあるので、見分けが肝心です。大型のソファやダイニング用の椅子セットなどまで置いてあることも！　散策途中に本当にいろいろなものを目にします。

4月25日

チューリッヒの郷土料理 仔牛クリーム煮込み

　チューリヒの郷土料理で代表的なのが、「ツーリッヒャー・ゲシュ
ネッツェルテス」です。チューリッヒ地方のドイツ語で、「Züri-
Gschnätzlets」と親しまれています。細めにスライスした仔牛肉と、
切って炒めたマッシュルームや玉ねぎを濃厚なクリームソースで煮込
んだ料理です。あっさりとした味わいの柔らかな仔牛肉に、濃厚な
クリームソースが合い、私もお気に入りのスイス料理の1つです。カロ
リーが気になるので、年に数回だけ味わいます。料理の起源は19世
紀頃、スイスの山岳地方で食べ始められた牛肉料理が元になっている
と伝えられています。ソースにコクがあり、ワインも進む味。ジャガ
イモのパンケーキ風「レシュティ（Rösti）→311/365」を添えてい
ただくのがチューリッヒスタイルですが、ライスやパスタを選べるお
店もあります。仔牛肉はスーパーでも販売されているので、レシピを
見ながら作れば、家庭でも楽しめる伝統料理です。

4月26日

スイスのハーブティー

　スーパーでは、さまざまな種類のハーブティーが販売されています。棚に並ぶ品揃えを初めて目にしたとき、それは驚いたものです。気分がリラックスする、穏やかに香りと味わいを楽しむものはもちろん、体調不良の初期症状を改善する効果が期待できるハーブティーもあります。風邪の引き始めや咳に効く、胃腸の調子を整える、女性ホルモンのバランスを整えるなど、身体の調子を改善するものから、「バイタリティ」「ウェイクアップ」などと銘打ったパワー系のものも。風邪の初期症状に効くハーブティーは、タイム、エルダーフラワー→55/365、菩提樹の花などのハーブがブレンドされた、自然の恵みがたっぷりのお茶です。20〜30包入ったティーバッグの箱は、200円から600円くらいで、物価の高いスイスにおいてはお手頃なのも魅力。私もサプリ感覚で、普段の生活にハーブティーを取り入れています。

27 | April

4月27日

ホオズキのチョコレート

　私にとっての思い出の味、「アンデンベーレン（Andenbeeren）」と呼ばれる食用ホオズキのチョコレートがあります。ヨーロッパの一部やスイスでは、食用ホオズキをケーキなどの洋菓子にデコレーションとして使用します。あるいは、レストランで食後のデザートを注文すると、その脇にアクセントとして飾られていることもあります。アンデンベーレンは、リキュール入りのチョコレートで食用ホオズキをコーティングした素朴な味わいですが、甘酸っぱいホオズキと、ビターなチョコの味がマッチして、1度味わうと、はまってしまいます。写真は、スイスで初めて住んだバーゼルにある 1935 年創業の老舗のお菓子屋さん「Confiserie Brändli」の商品。食用ホオズキはスーパーなどで、秋から冬にかけて、季節のフルーツとして販売されていますが、チョコレート菓子に加工されて売られている商品は、スイスでは珍しい気がします。今でもときどきお取り寄せをする、懐かしい味です。

4月28日

違いのある髪の習慣

　スイスの美容室には、洗髪だけを目的として訪問する顧客も少なくありません。私が通う美容室ではシャンプー回数券が販売されています。10枚券を購入すると1回分が無料。洗髪目的で来店する人の中には、自宅にシャンプーがない人も意外といて、週に1度か、中には10日以上間隔を空けて髪を洗う人もいるそうです。欧米人が髪の毛を頻繁に洗わないのは、面倒だからという理由だけではなく、髪が傷むからだと聞いたことがあります。そもそもスイスの女性達の頭皮の質は、日本人とは異なり、意外と汚れていないというのが知り合いの美容師さんのお話です。髪質の関係上、頭皮が汚れにくいから洗髪をまめにしなくても大丈夫なのか？　洗髪を頻繁にしないから、頭皮もそれに慣れて汚れにくいのか？　美容師という仕事柄、さまざまな人種の髪の毛に触れて感じたお話は興味深いものでした。異なる外国の習慣や、日本人とスイス人の体質の違いにも驚かされます。

4月29日

街のシンボル グロスミュンスター

　チューリッヒ市のシンボル、2つの塔を持つ美しい聖堂が「グロスミュンスター（Grossmünster）」です。旧市街にあるロマネスク様式の教会のグロスミュンスターは、16世紀にツヴィングリが率いるスイスの宗教改革において中心となった場所です。歴史ある古い回廊や、彫刻、ステンドグラスなどが残っています。聖堂内は写真撮影が禁止ですが、塔の上まで有料で上ることが可能で、その上から屋外の景色を撮影することは許可されています。なかなか上まで行く機会がありませんが、数年に1度くらいは、頑張ってチャレンジしてみたい気分になります。2つある塔の片方だけが一般開放されており、塔のてっぺんまでは、かなり狭い187段の階段を上っていきます。ようやく辿り着いた塔の上からは、旧市街やチューリッヒ湖を見渡すパノラマビューが広がり、街の景色が一望できます。気分は最高。上って良かったと感じる瞬間です。

4月30日

ゴミ捨てとリサイクル

　ゴミ捨ては普通ゴミでも有料です。住んでいるチューリッヒ州の自治体では、有料シールをゴミ袋に貼って捨てなければなりません。ただし、スイス国内でも地域によってルールが異なり、シールなしでゴミ袋自体が有料の所もあります。住まいの町ではゴミ袋1袋（35mlの場合）ごとにシール1枚を貼って廃棄します。1枚当たり約300円。瓶、缶、ペットボトル、雑誌、新聞など、再利用可能なものはリサイクルへ。すべて廃棄や回収の仕方が異なり、雑誌・新聞や、箱などのカートン（厚紙や段ボール）は、決まった日に無料回収されます。自分でゴミを持ち込める集積所もあります。瓶や缶は町のあちこちに設置されている専用ボックスに入れます。瓶と缶は別々に分類され、瓶は、緑・白（透明）・茶色に色分けされています。衣類専用ボックスも設置されており、着なくなった洋服はその中へ。ペットボトルは、スーパーに設置されたリサイクルボックスで回収です。

1 | Mai

5月1日

橋の下のトレンディスポット

　チューリッヒ市内は近年再開発が続いています。かつて、産業革命時代に重工業地域として栄えた西側地区は、1980年代の半ばから後半に工場が次々と閉鎖されました。空き地となった跡地が荒れた時期もありましたが、その後はチューリッヒ警察により取り締まりが強化され、今では劇場、映画館、クラブ、レストランなど、新施設が建設されて、若者達を中心に人気のある場所に生まれ変わりました。2010年春に橋の下に誕生した「ヴィアドゥクト（IM VIADUKT）」は、最もトレンディなスポットとして注目を集めました。「VIADUKT」とはドイツ語で「高架橋」を意味し、その名のとおり500mにわたって続く高架下には、おしゃれなブティックや雑貨店、レストランなどの店舗が軒を並べています。近年、日本でも人気のあるアパレルブランドのフライターグ →346/365 の本社も近くにあります。

5月2日

ジャカランダ

　5月になると、初夏の香りが漂い始めます。みなぎる新緑と、色とりどりの花々が街にあふれ始めるのもこの季節。通りに並ぶマロニエの木々も、赤や白い花を咲かせ、見頃になります。マロニエとともに初夏を感じさせてくれるのが、ジャカランダ。紫雲木という美しい和名を持ちます。チューリッヒ市内のあちらこちらにジャカランダの木々があります。原産地は南米で、暖かな気候を好むそうですが、春が過ぎる頃、チューリッヒ市内でも少しピンクがかった紫色の花が咲きます。その名のとおり、ふわふわの綿のような薄紫の花は、かなり遠くからでも目立ちます。日照時間によって開花の時期が多少前後するので、木の位置によって市内でも5月初旬〜下旬頃まで観賞できます。遠くからこの花が咲いているのが見えると、思わず近寄って、初夏の香りを感じるのが散策途中の楽しみの1つです。

3 | Mai

5月3日

スイス・インターナショナル・エアラインズ（SWISS）

　「スイス・インターナショナル・エアラインズ（SWISS）」は、チューリッヒ空港 →44/365 をベースに、ヨーロッパ諸国と世界各国に路線網を持つ航空会社です。日本への直行便もあり、日本人にとってもなくてはならない存在です。2016年、SWISSの新型航空機となる真新しい「ボーイング 777-300ER」がチューリッヒ空港に初登場しました。その1機目の機体には「Faces of SWISS」と称して、世界中で働く当時のSWISSの社員総勢2,500人の顔が描かれていることで話題になりました。この記念すべき同社初のボーイング 777-300ER は、SWISSの全社員に捧げられたものであり、世界中で働く社員の1人1人が、SWISS代表であることを表現しているのだそうです。期間限定のラッピング飛行機でしたので、現在はもう見られません。でも、この機体を空港で見たときに「なんて斬新なアイデア！」と驚いた感動は、今でもよく覚えています。

5月4日

ラインの滝

　チューリッヒ市内から電車で約 40 分。美しい旧市街のあるシャフハウゼンの郊外ノイハウゼンには、「ラインの滝（Rheinfall）」があります。この滝はヨーロッパ最大級の大きさで、古くから知られるスイスの観光名所の 1 つです。詩人ゲーテもこの滝を景勝地として讃えたといいます。滝の落差は約 25m とさほど高くはないものの、横幅は約 150m と広く、大きな水しぶきの上がる様子は迫力満点です。季節を問わず、スイス国内外からの観光客で賑わっています。遊覧船に乗れば滝つぼのすぐ近くまで行けますし、途中の岩山で下船すれば、滝を見渡せる岩のてっぺんまで歩いて上ることもできます。アルプスの雪解けが終わった 5 〜 6 月頃は、水量が多いため特に圧巻で、轟音を響かせて流れ落ちる滝に圧倒されます。滝上の川の両側には遊歩道が設けられていて、滝の周りを散策できます。

5 | Mai

5月5日

スイスの国旗

　赤地の真ん中に白い十字がデザインされている国旗は、スイスのシンボルです。建物の玄関先や湖の上を航行するボートの船尾、ホテル、通りの片隅や商店の前など、特別なことがなくても国旗が掲げられ、いたる場所で目にします。商品のデザインに描かれていることも多く、スーパーはもちろんのこと、ほぼすべてのお土産屋さんで目にしない日はありません。正方形の国旗は世界でも稀で、スイスとバチカン市国のみ。スイスの国旗の歴史は意外と浅く、19世紀初頭、軍旗として使用されたのが始まりで、1848年、スイスが連邦国家として誕生した際に、国旗として正式に採用されました。国の歴史は700年以上ありますので、それと比べたらこの真四角の国旗はとても新しいと感じます。国中が赤と白の旗の色であふれるのが、建国記念日 →123/365 です。この日が近づくと、国全体がお祝いムードになり、一般家庭の軒先や窓の外など、あちこちに国旗がはためきます。

5月6日

一般的な朝食

　「スイスではどんな朝食を食べているの?」と日本の知人達からよく聞かれます。欧米の国々では、ソーセージや卵料理など、温かいものを朝食に取り入れることもありますが、スイスの一般的な家庭ではシリアルのみか、それにハム、チーズ →15/365、ヨーグルト →93/365、フルーツ、パンなどを加え、シンプルに済ませるのが主流です。通勤途中にクロワッサン1個なんて人もいます。スイスならではの朝食、ビルヒャー・ミューズリー →88/365 は、食物繊維が豊富に含まれる栄養価の高いシリアルで、多くのスイス人が好む朝食です。スーパーの棚に並ぶシリアルの種類の豊富さに、住み始めた当初は驚きました。たくさんの種類のヨーグルト、ハム、チーズなども陳列されています。ハムは薄くスライスされたパック入りのものもありますが、ブロック状のものを、売り場にある専用スライサーでお店の人に好みの厚さにスライスしてもらうこともあります。

5月7日

スイスの紙幣

　スイスの通貨は「スイスフラン」です。通貨の表記は CHF で、
「Confoederatio Helvetica Franc」の頭文字を取ったものです。紙幣は、
10、20、50、100、200、1,000 スイスフランの 6 種類があります。
2016 ～ 2019 年に、最新技術を駆使して一新されました。セキュリテ
ィを高め、かつ偽造が困難になるよう、紙幣は 15 ～ 20 年ごとに刷新
されています。新紙幣のコンセプトは「多様性に富むスイス」。それ
ぞれがデザイン性に富み、すべての紙幣の真ん中には手と地球のデザ
インが描かれています。国際銀行協会の会員によって投票された紙幣
賞「Banknote of the year award 2016」を受賞した緑色の 50 スイスフ
ラン紙幣のテーマは「風」。タンポポと風に舞う種、パラグライダー
などが描かれています。世界で最も高い 1,000 スイスフラン紙幣は、
日本円で 15 万円以上に相当。キャッシュレス化が進む一方、現金主
義の人も多いため、高額なお札も需要があるようです。

5月8日

チューリッヒ湖のカーフェリー

　チューリッヒ湖では、カーフェリーが運航されています。対岸同士のホルゲンとマイレンの両区間を車ごとフェリーに乗船して双方の対岸へ渡ることができるのです。シャトル便の感覚で利用できるこのフェリーに乗ると、向こう岸までは約10分。フェリーがなければ対岸へ移動するのに、チューリッヒ湖をぐるりと回らなければなりませんから、重要な役割を担っています。渡し船として利用する人や、通勤での利用者も多く、朝晩は混み合います。湖をフェリーで移動中、外の空気を味わうため、車内から船上へと出て短い旅を楽しむ人々の姿もあります。船の上での約10分間は、遠くにそびえる美しいアルプスを眺めながらの贅沢な時間。船の2階が乗客用のスペースで、屋外にはベンチ、屋内にも座席があります。普段はカーフェリーとして利用することが多いのですが、対岸に住む知人を訪問するときなどに、しばしの船旅気分を味わえる移動手段として、重宝しています。

5月9日

ジンジャービール

　スイス北東部のアルプシュタイン山地麓のアッペンツェル →175/365
は、牧草地が広がり、スイスらしい趣の家々が並ぶ、独特の風習が残る
村です。ここには、ビール醸造所「ロッハー・ビール社(Brauerei Locher)」
があります。同社の代名詞ともいえるのが「アッペンツェル・ビール
(Appenzeller Bier)」。スーパーやリカーショップには必ず置いてあり
ます。他にもラガー、黒ビール、ライトビール、小麦ビール、ノンア
ルコールビール、ライスビールなど、さまざまなタイプを手がけてい
るのですが、中でも意外と人気なのが、生姜フレーバーのジンジャー
ビール。すりおろした生姜に水、砂糖、レモン果汁などを加え、さら
にイースト菌で発酵させた炭酸飲料です。アルコール分は2.4%とさ
ほど高くはありません。最初の口当たりは少々甘く感じるのですが、
次第に生姜の辛味がピリリと広がり、身体がポカポカしてきます。甘
口のビールなので、ビールの苦みが苦手な人にもおすすめです。

5月10日

州によって祝日が違う

　スイス連邦が定めた国民の祝日は、建国記念日 →123/365 だけで
す。スイスが一斉に祝日となるのは建国記念日の他、クリスマス、元
日、キリスト昇天祭など。キリスト生誕や復活に関しての宗教的な日
には、全州が祝日となることもあります。カトリック教徒の割合が多
い州では、宗教的な祝日が目立ちます。それ以外の法定祝祭日はカン
トン（州）ごとに年間8日まで各々で制定が可能で、州によって祝日
が異なるというケースが頻繁に起こります。例えば、チューリッヒ市
では、4月に開催される春祭り セクセロイテン →16/365 の日は祝
日ですが、同じチューリッヒ州でも住まいのある町は祝日にはならず、
職場も学校も通常営業。チューリッヒ市内では学校も会社もお休みで、
お店の営業は午前中のみということも。毎年日にちが変動する祝日も
あるため、州ごとに分けられた祝日カレンダーを見ながら「いつが祝
日なのか？」、毎年確認が必要です。

5月11日

ギョウジャニンニク

　春の旬の味といえば、白と緑のアスパラガス →6/365 や、春から初夏にかけて出回るルバーブなどいろいろありますが、「ギョウジャニンニク」もその1つです。「ベアラオホ（Bärlauch）」と表記され、スーパーやマルクト →329/365 の野菜コーナーに並びます。ギョウジャニンニクはネギ属の多年草で、ニンニクのような強い香りを持つことが名前の由来の一説にあります。この時期、ハイキングがてら森に出かけ、ギョウジャニンニクを摘む人々もいます。摘んだギョウジャニンニクは、パスタやスープなどに入れて旬を味わいます。季節限定商品として、ギョウジャニンニクのポテトチップスも登場し、毎年これが出るのを心待ちにしている人も！　袋を空けると、中からなんとなくニンニクの香りが漂ってきます。色は緑がかった黄色で、味は少しピリッとしていて、ビールやワインが進みそう。口の中がニンニクっぽい香りでいっぱいになるので、食べすぎには注意が必要かも!?

5月12日

無人販売所

　郊外の町には、農家が経営する無人の販売所があります。場所により販売されているものは異なるのですが、季節のフルーツや野菜、採れたての卵 →283/365 などが中心。冷蔵コーナーには、山羊のチーズや自家製ヨーグルトなどもあります。我が家のそばにもいくつかあり、散歩がてら卵や果物を買いに訪れます。そこで売っている卵は生でも食べられる新鮮なもので、1個100円前後と結構な高級品なのですが、1個からでも購入できるのがありがたいところ。りんごや梨も種類が豊富で、秋になると日本の梨も登場するので、必ず買いに出かけます。フルーツは量り売りで、グラム（キロ）ごとに価格が設定されています。自分で好みの個数をかごの中から取り、備えつけの計量器で重さを量って支払うシステムです。何をどのくらい買ったかは自己申請。計算機とペンも置いてあるので、記録ノートに記入します。最近では、電子マネーで支払える無人販売所も登場しました。

5月13日

噴水の水

　スイス国内の噴水は、飲料水としても利用されている場所が数多くあります。例えばチューリッヒの街を歩いていると、通りや路地に水飲み場や、それを備えた噴水をよく目にします。実はチューリッヒは、国内でも特に噴水の多い街なのです。市内の水飲み場は 1,200 か所以上あり、そのうちの 400 か所には湧水が引かれています。飲料水として非常によく管理されていて、年中無休の 24 時間、透明で安全な水を飲むことができます。その場で水を口にする人もいれば、持参したペットボトルに水を汲む人々の姿を見かけることもあります。チューリッヒ市には 15 世紀から水道が通っていました。市内の噴水には古くから番号がつけられていて、最も古い噴水は 1430 年に稼働を開始したと推定されます。これらの噴水や水飲み場には、人物や動物などの他、時にはユニークな彫刻や飾りがあるのも特徴です。散歩途中の犬も水が飲めるように、低い位置に水槽がついている噴水もあります。

5月14日

チューリッヒ空港

　チューリッヒ空港は2004年以来、20年連続で「ワールド・トラベル・アワード」のヨーロッパ・ベスト空港に選ばれています（2023年時点で記録更新中）。ランキングは、顧客満足度と、空港およびその周辺で提供されるサービスの品質基準に基づいています。日曜日のチューリッヒ空港は、旅行客以外でも混み合う場所です。一般のお店は日曜日・祝日は営業していないため、普段の買い物目的で、年中営業している空港のお店を訪れる人々がいるからです。出国審査の外側には、一般客も利用できるスーパー、レストラン、郵便局、通信機器のお店、衣料品店、書店、ドラッグストアなどが並んでいます。広々とした展望デッキから眺める飛行機の離着陸の様子は、家族連れにも人気。出国審査を終えると、航空会社のラウンジ、免税店、ブランドショップなどが充実しています。到着エリアにも免税店がオープンし、チューリッヒ空港に到着後も免税価格でお買い物ができます。

5月15日

紫色のアスパラガス

　春から初夏へと移り変わるこの季節には、緑と白のアスパラガス
→6/365 に加え、紫色のアスパラガス「Spargel Violet」が登場しま
す。朝市やファーム（農家）の直売所などで短期間だけ手に入る稀少
なアスパラガスです。日本でもパープルアスパラガスとしてごくわず
かに流通しているようです。アントシアニン系の色素を多く含み鮮や
かな紫色をしていますが、加熱すると普通の緑色に近い状態になって
しまうので、我が家では薄く切って、リーフサラダなどに混ぜて生で
味わいます。根元のほうまで柔らかく、甘みがあり、くせのない食べ
やすい味。紫の色合いも美しく、食卓も華やぎます。新鮮なうちに食
するのがおいしく食べるポイント。ドレッシングはオリーブオイル
（大さじ 2）と醤油（大さじ 1）を混ぜ合わせたシンプルなものが意外
と合います。春の終わりと初夏の訪れを同時に感じさせてくれる味わ
いです。

5月16日

刺繍の切手

　以前、日本のクイズ番組でスイスを特集していた際、とても印象に
残ったクエスチョン。「スイスで世界初となるものが売り出されまし
た。5スイスフラン（当時の換算レートで約500円）で購入できる特
別なもの、それはいったい何でしょう？」。答えは、刺繍が施された
切手。2000年にザンクト・ガレン州で、世界初となる刺繍切手が数
量限定で作られ、スイス国内の郵便局で販売されました。ザンクト・
ガレン州は19世紀頃から、細やかな刺繍やレースの産地として広く
知られるようになった場所です。切手には布地に本物の刺繍が編まれ
ており、一般に流通している切手よりも少し大きめで厚みがあります。
美しいうえに希少価値が高いので、コレクターの間でも話題になりま
した。実際に刺繍の切手を貼って手紙を投函することもできますが、
私を含めて手に入れた人のほとんどは、大切に手元に置いているのか
も。

5月17日

湖を美しく保つために

　湖岸を散策しているとき、湖に潜るダイバー達の姿に気づきました。彼らは「The Swiss Association of Environmental and Trash Divers」、通称「SAET（スイス環境ゴミ処理ダイバース協会）」のメンバーで、スイスのゴミプロジェクトの一環として、ボランティアで湖の清掃をしている人達です。趣味のダイビング人気は年々高まっており、ダイバー達は各地の湖でダイビングをします。有志のダイバー達は、暖かくなると年に数回、国内各地の湖に潜り、清掃作業を行います。一見美しく見える湖には、傘、空き瓶、空き缶などの日常ゴミから自転車のような粗大ゴミまで、信じられないようなものが投棄されているのです。引き揚げられたゴミは、湖岸にディスプレイされます。こうして見てもらうことで、道行く人々に不法投棄の現状を訴えかけるのです。このような活動風景に触れるたび、「私達が愛する美しいスイスの湖を、決して汚してはいけない」と、改めて心に誓います。

5月18日

スイスのお豆腐

　地元の人々の間でも、お豆腐人気が高まっています。今では一般の
スーパーや BIO ショップ（無農薬食品のお店）などで、スイスで作
られたお豆腐も手に入るようになりました。ただし、日本のお豆腐の
ようにきめが細かくて滑らかなものとはちょっとイメージが違います。
木綿だとカチカチで固すぎるくらい！　絹ごしだと、ちょっと触った
だけでも崩れるほどに柔らかい！　ちょうど良い固さのお豆腐を見つ
けるのが難しいのです。とはいえ、スーパーで日常的にお豆腐を買え
るのは、ありがたいこと。最近ではさまざまなタイプのお豆腐が勢揃
いで、燻製、カレー味、パプリカ味などもあります。食べ方は、サラ
ダに入れたり、サンドウィッチに挟んだりと、いろいろです。日本風
のお豆腐を求めてチューリッヒの日本食材店まで足を延ばすこともあ
り、そのお店ではスペインで作られた、冷蔵で長期保存できるタイプ
のお豆腐をよく購入しています。

5 月 19 日

アイリスガーデン

　チューリッヒ市内のエンゲという地区にある「ベルボアパーク
(Belvoirpark)」には、120種類以上の品種のアイリスが咲くアイリス
ガーデンがあります。ベルボアパークはこの地域で最も初期に造られ
た美しい景観を持つ庭園の１つで、チューリッヒ市内の文化遺産にも
なっています。緑豊かな木々が茂り、広い芝生の横には池があり、鴨
が泳いでいます。アイリスの見頃は３月下旬頃から夏が終わる頃まで。
庭園内は年間を通して市民の憩いの場です。ランチタイムになると、
近くに勤める会社員達が集まり、屋外でランチを楽しんでいる姿を目
にします。仲間同士で語らう人々や、アイリスを観賞しながら散策す
るネクタイ姿の人も。５月後半頃はアイリスの他、初夏の花々も咲き
始め、見頃を迎えます。緑の葉が生い茂るトンネルを藤のつたが覆い、
珍しい白い花を咲かせる様子に、初夏を感じます。

5月20日

世界最古のベジタリアンレストラン

　チューリッヒ市内に複数店舗がある「ヒルトゥル（Haus Hiltl）」は、1898年から120年以上続く世界最古のベジタリアンレストランとして、ギネス記録を持つお店です。創業以来、一族で経営され、現在は4代目オーナーに引き継がれています。アラカルト、ビュッフェ、テイクアウトを提供するランチタイムは、地元の人々や旅行客でいつも超満員。料理に使用される野菜やハーブは自家栽培されています。このお店の一番人気はビュッフェ。100種類の野菜料理から好みの料理をお皿に盛り、重さを量ってお会計するシステムです。ビュッフェ以外のアラカルトメニューも充実しています。私のお気に入りは「Hiltl Burger（ヒルトゥルバーガー＝ベジミートバーガー）」。自家製野菜や大豆などを使用し、本物の挽肉のような味と食感です。ベジタリアンなバーガーとは思えないほど、食べ応えもボリュームも満点。添えられているマヨネーズも、もちろん自家製です。

5月21日

On シューズ

　スイス生まれの「On」は、「ランニングの世界を変える」という大きな目標を掲げ、2010年にチューリッヒで創業されました。10年余りで日本を含む世界50か国以上で約700万人以上の愛用者を持つスポーツシューズメーカーに成長し、数々の国際的な賞を受賞しています。テニス界のレジェンド、ロジャー・フェデラーさんと共同開発したシューズが発売されるなど、勢いはとどまるところを知りません。ランニングシューズからちょっとした街歩き用のタウンシューズまで、男女問わずに愛されるOnシューズ。人気の秘密はなんといっても、その軽さと履き心地。本国スイスでは、足元を見たらOnシューズ！という人を本当によく見かけます。Onシューズで出勤するビジネスマンもたくさんいます。人気のメーカーのため、まったく同じ色とデザインの靴の人に遭遇するのもよくある話で、ちょっぴり気恥ずかしい思いをするのだとか。知人いわく、「Onあるある！」だそうです。

52
/
365

5月22日

90℃の煮沸洗濯

　昔から受け継がれているスイス人の洗濯の仕方（流儀？）を知り、驚かされました。まず、白いものと色ものは分けて洗うため、洗剤も別々に販売されています。もう1つびっくりだったのが、洗濯するときの水の温度。古くからの習慣では、リネンや下着など特に白いものを洗う際は、90〜95℃に設定するのが一般的でした。下着についている洗濯方法のラベルにも、確かに95℃と記載されています。ひと昔前は毎日入浴する習慣がなかったため、下着を毎日取り替えない人も多く、中には週に1度くらいという人もいたのだとか。そこで、衛生面を考慮して煮沸洗濯を行っていたのですね。ラベルに記載されている95℃は、その習慣の名残なのかもしれません。スイスの水は硬水なので、昔の洗剤はお湯でないとなかなか溶けないという理由もあったようです。近年では、水でも汚れが落ちる洗剤に改良されてきていますから、古い習慣は若い年代には薄れつつあるようです。

23 | Mai

5 月 23 日

パラーデプラッツ

　「パラーデプラッツ（Paradeplatz）」はチューリッヒのバーンホフシュトラッセ →65/365 の中心にある広場で、世界的にも有名な金融の中心地です。UBS 銀行などの大手銀行がここに本店を置いて以来、スイス最大の外貨両替所として名を馳せてきました。広場の周辺には、数々のプライベートバンクも軒を並べています。この界隈を昼間歩くと、仕立ての良さそうなスーツ姿でビシッときめたビジネスマン達とすれ違います。17 世紀、ここでは豚の市場が定期的に開催されていたため、「Säumärt（豚市）」という名で呼ばれていました。1819 年になると「ノイマルクト」と改名され、その 50 年後に「パラーデプラッツ」と、現在の名前になりました。この広場はトラム →22/365 の乗り換え駅としても多くの人々が利用します。高級チョコレートやルクセンブルゲルリ →3/365 で有名なお菓子メーカー「シュプルングリ」の本店もここにあります。

5月24日

幸福のてんとう虫

　ヨーロッパで「幸福の象徴」と呼ばれているものには、銀のスプーン、豚 →277/365、フクロウなど、いろいろとありますが、中でもスイスでよく目にするのが、てんとう虫です。ヨーロッパでは春がやって来ると、「てんとう虫がとまった人のところに幸せが訪れる」という言い伝えもあり、幸せのシンボルとして親しまれています。スイスも例外ではありません。特にスイスでは、チョコレート、お祝いのカード、タオル、キッチンツールなど、さまざまなグッズにてんとう虫がデザインされています。国旗の色と同じ赤いてんとう虫は、愛国心の強いスイスの人々に好まれているようです。てんとう虫の形をしたチョコレートも、スイスで人気。包みを開けると、中身もちゃんとてんとう虫の形をしています。子ども達はこれが大好き！　お誕生日のお祝いの席などで見かける他、クリスマスや新年が近づくと、てんとう虫チョコを目にする機会が増えます。

5月25日

エルダーフラワー

　白い花を咲かせる西洋ニワトコは、初夏になるとよく目にする花です。スイスドイツ語圏では「ホルンダー（Holunder）」と呼び、親しまれています。日本では、英語名の「エルダーフラワー」という名でご存じの人が多いかもしれません。その年の気候にもよりますが、だいたい5月から6月にかけて開花します。円状の中に5mmくらいの白い花を咲かせるのが特徴で、とても甘い香りを放ちます。ホルンダーの花はヨーロッパでは、昔からインフルエンザや風邪の特効薬として知られてきました。薬用植物としても認知され、呼吸器系の疾患や解熱剤としても利用されます。ホルンダーのシロップは喉の痛みを緩和するといわれ、キャンディやハーブティー →26/365 として商品化されています。ホルンダーシロップを手作りする人もいます。スイスメイドの代表格の1つ、リコラのハーブキャンディ →316/365 にもホルンダー味があります。

5月26日

橋の上の映えるスポット

　チューリッヒ市を流れるリマト川は、ライン川の支流のアーレ川に注いでいます。川沿いには観光名所がいくつもあるので、橋を渡りながら歴史地区にある古い建物や教会などの景色を眺めてみるのがおすすめです。川と湖の境にある「クアイ橋（Quaibrücke）」の上は絶好の撮影スポットで、ここから眺める風景が私のお気に入り。橋の両側には遊歩道が設けられているので、人々は季節を問わず橋の上で足を止めて、しばし撮影タイム。街のシンボルでもあるグロスミュンスター →29/365 やフラウミュンスター →114/365、聖ペーター教会 →71/365 などが1枚の写真に収まるのがまさにここなのです。橋の反対側には、チューリッヒ湖と、晴れた日にはアルプスの山々も見渡せます。お天気の良い日には橋の下の川べりに腰掛けて読書をしたり、白鳥が泳ぐ姿を眺めながらランチをしたりと、のんびりとした時間を過ごすのが人々のお楽しみです。

5月27日

スーパー MIGROS

　チューリッヒに本部を置くスーパーマーケットチェーンの「ミグロ（MIGROS）」は、スイス最大の小売企業です。協同組合連合（ミグロ協同組合連合）のメンバーは 200 万人を超えます。MIGROS は 1925 年に、チューリッヒ出身のゴットリープ・ダットワイラー氏により設立されました。小売業での豊富な経験をもとに、生産者から消費者へ、仲介業者なしで商品を販売する組織を組み立てました。店舗を造らず、まずは 5 台のフードトラックを移動販売店に改造。コーヒー、米、砂糖、パスタ、ココナッツオイル、石鹸などの生活に必要な基本的な商品を揃えて販売しました。現在では 10 万人近い従業員を抱える最大手のスーパーに大成長。自社ブランド「M-Budget」はファミリー向けのリーズナブルな価格で人気。近年では従来商品よりワンランク上のラインナップ「Sélection」も充実しています。スイスでその名を知らない人はいない MIGROS は、国民に愛されるスーパーです。

5月28日

TGV

　電車に乗って海外旅行をするなら、TGVでパリへ出かけるのが人気です。チューリッヒからパリまでは「TGV Lyria」で約4時間。バーゼルからだと約3時間。1等車では食事のサービス（1回）が料金に含まれます。朝食かランチ、または夕食と、時間帯により食事の内容が異なります。朝一番の電車に乗れば、お昼前にはパリに到着するので、気軽な1泊旅行も可能。ヨーロッパは陸続きなのだと実感します。TGVにはいろいろな車種があり、2階建ての車両もあります。チケット予約はネットでできますし、その際に座席指定も可能です。シーズンによってはお得な割引運賃が出ることもありますが、割引率の高いチケットは払い戻し不可の場合もあるので注意が必要です。座席は広く、車内は快適。お気に入りの音楽を聴きながら、普段とは違う街並みや田園風景など、移り変わる車窓を眺めているうちに、意外とあっという間に片道4時間が過ぎていきます。

5月29日

新緑のテラスでランチ

　春から初夏へと移り変わる5月後半は、緑の眩しいシーズンです。お天気の良い日に屋外で食事をするのが楽しみなのもこの季節。散策途中、家々のガーデンやバルコニーから、楽しげな語らいの声が道まで届いてくると、「春本番だな」と感じます。テラスのある街のレストランはいつも混み合いますが、チューリッヒのおしゃれなブティックホテル「ヴィダーホテル（Widder Zurich）」の中庭にあるテラスレストラン「ヴィダーガーデン（Widder Garden）」は、春から夏にかけて期間限定でオープンする、静かにランチを楽しめる場所です。新緑が薫るテラスは雰囲気が良く、また、料理はおいしいだけでなく彩りも盛りつけも目を見張るような美しさ。5つ星ホテルの洗練されたサービスにも満足できます。4月下旬には、テラスの上に咲く藤の花が見頃です。たまにはちょっと贅沢をして、のんびりと過ごしたいというときに、最適な場所です。

5月30日

新鮮な魚屋さん　メルカート

　海のない国では、新鮮な魚を手に入れることはなかなか難しいもの。それでも、以前に比べると、スーパーで購入できる魚の種類は増えてきました。お刺身用に生で食べられるものは、マグロやサーモン、カンパチなど。たいてい刺身用には切られておらず、ブロック状だったり、切り身（フィレ）だったり、あるいは丸ごと1尾で販売されています。一般のスーパーの魚売り場の店員さんは、販売が専門のため、その場でお願いしても切り身にする技術は持っていないようです。豊富な種類の魚をよく吟味して手に入れたいときは、魚専門店「メルカート（MERCATO）」へ出かけます。イタリア系のスタッフ達は魚の扱いに慣れていて、リクエストに応じて目の前で魚をさばいてくれます。スーパーでは手に入りにくいサバなども、見事な包丁さばきであっという間に三枚おろしにしてくれます。メルカートの魚は値段も手頃で、鮮度が抜群に良いのが大きな魅力です。

5月31日

ちょっと良い光景

　電車やバス →359/365 やトラム →22/365 には、ベビーカーや自転車も一緒に乗せられるスペースがあるので、ベビーカーはたたまずに乗車できます。出入り口もバリアフリーで低くなっている新型の車両は、大きくて重量のあるベビーカーでもそのまま押して乗車できます。出入り口が階段になっていて、スロープにもならない古いトラムやバスの車両では、近くにいる乗客がベビーカーを片方から抱えて乗り降りを手伝ったり、男性の乗客が持ち上げて降ろしてくれたりすることもあります。こうした助け合いは、スイスでは頻繁に見かける光景で、乗客同士が暗黙の了解で行っています。バスやトラムのドアは、ボタンを押すと開くシステムなので、乗り遅れそうになると、ドアのボタンを押して、閉まったドアを開けてくれる人も。今でこそ私も普通に手伝えるようになりましたが、スイスに暮らし始めた頃は、人々のこうした何気ない親切に、とても感動したものです。

6月1日

焼きソーセージ

　スイス人が大好きな食べ物の1つが、「ブラートヴルスト（Bratwurst）」と呼ばれる焼きソーセージです。お祭りやイベント会場では、必ずこの焼きソーセージのスタンドが登場します。チューリッヒ市内には、ランチタイムに行列のできる人気の焼きソーセージ屋さんもあります。一見、焦げすぎに見えますが、だいたいどこでもこんな感じの焼き具合。決して焼きすぎてしまったのではなく、わざと表面を焦がしてコゲコゲにするのが、スイススタイルなのです！　ソーセージにはパンが1切れ添えられており、マスタードはセルフサービスで好みの量をかけます。外側は見た目どおりパリッとしていて、かじると中はジューシーで、シンプルだけど、とにかくおいしい。店にはだいたい3種類の焼きソーセージが並んでいますが、我が家のお気に入りは、白っぽい色の仔牛のソーセージ。ビールを片手に焼きソーセージをほおばるのも、人々のお決まりのパターンです。

6月2日

種類が豊富なハーブとスパイス

　スーパーの調味料売り場には、各種ハーブやスパイスの小瓶がずらりと並んでいます。スイス料理にはハーブやスパイスを効かせた料理も多く、キッチンには欠かせない必需品です。肉料理用、魚料理用のにおいを消すハーブミックスや、香りそのものを楽しめるものなど、料理や用途に合わせて選びます。ハーブをプランターで栽培している人々も多いのですが、手軽に使えるボトル入りで売られているものがよく活用されるようです。ドレッシングを手作りする家庭も多く、オリーブオイルとバルサミコ酢を混ぜ合わせたものにハーブやハーブソルトを加えれば、ヘルシーで簡単な自家製ドレッシングの完成。スパイスも各種料理に合わせて種類が豊富です。スイス人が大好きなパプリカ味の料理用に、パプリカのスパイスも並んでいます。ハーブソルトとパプリカのスパイスをチキンの上にかけて、オリーブオイルでグリルすると、おいしいパプリカチキンのできあがりです。

6月3日

チューリッヒ動物園

　広大な敷地のチューリッヒ動物園では、動植物を身近に感じながら、自然と触れ合えます。一部の動物達は放し飼いにされ、もともとの生息地に近い環境下で、生態系維持にも配慮しながら飼育されています。象の水浴びや冬季限定のペンギンパレードなどが人気で、「オーストラリアパーク」には、コアラもやってきました。園内の「マソアラ熱帯雨林」は、マダガスカルのマソアラ国立公園との共同プロジェクトで誕生した植物園です。面積が 11,000㎡ もあり、約 3,000 種もの植物が植えられています。熱帯の湿度と温度をヒーターで保っていて、人工的に雨を降らせて熱帯雨林を再現しています。中へ足を踏み入れると、汗ばむほどの湿気を感じます。珍しい鳥の鳴き声が響き、コウモリが頭上を飛び交い、さまざまな野鳥や猿、爬虫類（はちゅうるい）などが共存しています。見晴らし台に上ると、園内を一望することができて、まるで本場さながらの熱帯雨林にいるかのようです。

6月4日

バーンホフシュトラッセ

　チューリッヒ中央駅からチューリッヒ湖に向かい、約1.3kmに伸びる大通りが、「バーンホフシュトラッセ（Bahnhofstrasse）」。デパートやショップ、高級ブランドや時計店が並ぶチューリッヒ最大のショッピングストリートです。市民の足でもあるトラムが行き交い、いつも活気に満ちています。金融ビジネスの中心、パラーデプラッツ→53／365があるのも、この通り沿い。そのバーンホフシュトラッセも、ここ数年で大きく変わりつつあります。一等地にあった宝石店や貴金属店が別の場所に移転し、跡地にはカジュアルな外資系のお店が目立つようになりました。老舗デパートも閉店するなど、昔を知る人にとっては寂しい気持ちは隠せません。モダン化の波が押し寄せる街中で、独特な音を立てて走るトラムだけは、変わらずそのまま。ちょっぴりレトロな雰囲気を醸し出すトラムが走るさまを眺めるだけでも、バーンホフシュトラッセを訪れる価値がありそうです。

6月5日

ガーデンセンター

初夏になると、ガーデンセンターに出かけるのが楽しみです。センター内には、半日いても飽きないくらいの巨大店舗もあります。私のお気に入りのお店は、屋内に広いグラスハウスがあり、カラフルな季節の切り花や樹木の鉢植え、苗が揃っています。ここで庭先やバルコニーに吊るすための鮮やかな花々を眺めていると、眩しい夏の到来を感じさせられます。花以外にも、野菜やハーブ類なども手に入ります。庭を彩る苔も装飾用に人気です。季節の植物でいっぱいなので、まるでどこかの公園を歩いているかのようです。コロナ禍で街がロックダウンされたときは、スーパーや薬局など生活に最低限必要なものを買うお店以外は、閉まっていました。規制緩和後に、まっさきに営業を再開したのが、ガーデンセンターだったのです（同時に再開されたのは、美容室！）。スイスの人々にとって、ガーデニングがどれだけ大切か、それを感じさせてくれた出来事でした。

6 | Juni

6月6日

アペロって？

　アペロとは、食事の前におつまみと一緒に軽くお酒を楽しむ習慣です。「夕食の前に、まずは1杯」というのがスイススタイルです。例えば、仕事帰りの会社員達はたまに、同僚とバーでビールやワインなどを飲んで語り合います。これ自体がアペロです。家庭第一の人が多いので、その後、夕食は自宅に帰り家族と一緒に食べるのが一般的。アペロは夕食や昼食の前、そして季節や場所を問いませんが、夏はもちろん屋外のテラスが好まれます。アペロは人々との交流の場でもあります。アペロ・パーティーとして、それをメインで楽しむこともあります。シャンパングラスを片手に、フィンガーフードをつまみながら賑やかに歓談。その場合は1杯だけでは済みません。おつまみには、スティックで刺したピンチョス、ナッツ、軽いスナックなど。レストランでの会食や、家で開く食事会でも、まずはアペロからスタートすることが多いです。

6月7日

コウノトリが飛ぶ

　チューリッヒ市内から 19km ほど離れた郊外に、グライフェン湖
→297/365 があります。周囲の豊かな自然は手厚く保護され、付近
にはピクニックやバードウォッチングができる広大な敷地の野鳥公園
などもあります。春になると、この周辺で野生のコウノトリが空を飛
んでいる姿を見ることがあります。コウノトリの赤ちゃんが成長する
季節で、親のコウノトリが餌を求めて空を飛び回っている姿もよく見
られます。春から夏の間だけの特別な光景です。スイスで目にするコ
ウノトリは、正確には「シュバシコウ」という種で、くちばしが朱色
をしており、大きさはコウノトリよりも少し小さめです。細かく分け
ると、日本でコウノトリと呼んでいる鳥とは別の種類だそうですが、
スイスでは一般的にこれらをコウノトリと呼んでいます。悠々と空を
駆け巡るコウノトリを眺めていると、美しい花々の開花とはまた違う、
スイスの春を感じます。

6月8日

ヴァレン湖岸の村 クインテン

　ヴァレン湖はザンクト・ガレン州とグラールス州にまたがるエメラルドグリーンの湖です。湖畔にある村「ムルク（Murg）」から小型の渡し船に乗船すると、北岸には小さな集落「クインテン（Quinten）」があります。クインテンは、狭い歩道はあるものの、車が通る道路のない小さな村です。村へと通じる道もないため、ムルクから船でのアクセスとなります。湖岸から眺めるアルプスの風景は美しく、のんびりとハイキングを楽しみたい人々に密かに人気があります。温暖な気候を利用したワイン造りが盛んなのも特色の1つで、村の丘陵にはブドウ畑が広がっています。イチジクやキウイ、複数のトロピカルフルーツも育つそうです。この地域では、通常は赤ワインに使用されるブドウの品種「ピノ・ノワール」の白ワインが生産されています。なだらかな坂道を上ると、小さなワイン販売所があります。試しにここの白ワインを購入してみたところ、なかなかの美味でした。

6月9日

ラーメンが人気

　ここ数年で、ラーメン人気が高まっています。チューリッヒ市内だけでも、ラーメン屋さんは数店舗あります。市内に初めてラーメンの専門店ができたのは、十数年前のこと。当時はラーメン自体を知る人が少なく、熱いスープをフーフーして食べるという食文化があまり浸透していませんでした。周りの人が食べているラーメンのスープから湯気が立っていないこともありました。スイス人の舌に合わせて、あえて少しぬるめのスープを提供していたようです。それから10年以上が経過し、本格的なラーメン屋さんも続々とオープン。もう、スープがぬるいなんてことはなく、麺の製法やスープの味にこだわりを見せるお店もあり、人気のつけ麺を提供するお店も登場しました。日本とは少し異なるボリュームたっぷりの盛りつけで、中の麺が見えないほどトッピングされていることも。お値段はスイス価格で、1杯が3,000円以上するのが平均的です。

6月10日

聖ペーター教会

　グロスミュンスター →29/365、フラウミュンスター →114/365
とともに、チューリッヒの街のシンボルの1つが、大きな時計が目立
つ「聖ペーター教会（St.Peter）」です。この時計塔の中には通常、一
般の人は立ち入ることができないのですが、ある日、管理者の説明を
受けながら、時計塔の中を見学できる機会がありました。木造の内部
はもちろん禁煙。狭くて急な階段を上っていくと、中にはかつて使用
されていた大きな鐘が保管されていて、間近で見ることができました。
以前はこの鐘の音で、人々に時刻を知らせていたのだそうです。今で
は自動仕掛けになった鐘の音が街に響き渡ります。また、時計塔は昔、
街を見張る櫓の役割も果たしていて、火災を発見したときにはラッパ
を鳴らしたり、大きな旗を降ったりして、市民に緊急事態を知らせて
いたのだとか。見晴らしのよい時計塔の上から眺めたチューリッヒの
街は、最高の景色でした。

6月11日

シェルター

　スイスでは、地下室に核シェルターが備えつけられた住居があります。住宅の地下に倉庫がある家が多いのですが、その倉庫と隣合わせでシェルターを装備している建物があります。かつてはすべての集合住宅にシェルター設置が義務づけられていたそうですが、2012年からは条件により必ず設置という義務はなくなりました。私が住むマンションにもシェルターがあります。地下へ降りると、普段は物置として使用している部屋があります。建物ごとに異なるようですが、物置はいくつかの小部屋に仕切られ、戸別に割り当てられています。我が家の建物の場合、物置の奥に厚い鉄の扉があり、有事の際には避難するシェルターとして使用するようです。数日過ごせるよう、シャワーやトイレ完備のシェルターもあるのだとか。普段は立ち入り禁止で、その厚い扉の先へ進んでみたことがないので、自宅のシェルターの装備を把握していません。利用する日が来ないよう、願うばかりです。

6月12日

魚釣りには許可が必要

　川や湖で釣りをしている人々の姿をよく見かけます。スイスにはプロの漁師さん以外に、趣味として釣りを楽しむ人々が約15万人いるそうです。釣りができるシーズンは、5〜10月の間と定められています。また、釣りをするためには許可が必要です。州や自治体でルールが異なるようですが、1年か、月ごとの会費を支払って、事前に許可証を取得しておかねばなりません。ある日、湖のほとりを歩いていると、釣り人が許可証を所持しているかどうか、抜き打ちでチェックをする係員の姿がありました。釣り人に許可証の提示を求めた後、釣れた魚が入った容器の中身も確認。「湖や川で1度釣った魚は戻してはいけない」「規定サイズよりも小さい魚は釣ってはいけない」などの取り決めもあります。私が目撃した男性は、チェックに引っかからずセーフでした。各州には漁業連盟や地元の釣り愛好家クラブなどもあります。海はないけれど、釣り好きな人達が多い国です。

6月13日

古城ホテル Schloss Schauenstein

　グラウビュンデン州の小さな自治体、フュルステナウにある古城ホテル、「シャウエンシュタイン城 (Schloss Schauenstein)」は、17世紀後半に建築され、現在はミシュラン3つ星シェフのアンドレアス・カミナダ氏が所有するホテル＆レストランです。ホテルのオーナーシェフであるカミナダ氏は、幼少期からこの地を訪れる機会があり、豊かな自然の恵みに満ちた土地柄に惹かれ、古城を買い取って宿泊施設とレストランを開業したそうです。近代的に改装された建物の内部には、遠い昔にお城だった頃の面影がたくさん残っています。私が宿泊した部屋はリビングルームと、次の間に寝室があり、2階が広々としたバスルーム。1階の脇には別の階段が数段あり、貯蔵庫として使用されていた小部屋がトイレに改築されていました。「昔、どんな人々が暮らしていたのだろう？」と想像するとワクワクしてきます。その反面、中世に思いを馳せると、少しミステリアスな気分にもなりました。

14 | Juni

6月14日

ミシュラン3つ星レストラン

　古城ホテル Schloss Schauenstein →74/365 には、ミシュラン3つ星レストランが入っています。オーナーシェフのアンドレアス・カミナダ氏は、バートラガーツの2つ星レストラン イグニブ →265/365 もプロデュースしており、お店は世界のベスト50のレストランリストにも名前を連ねています。テラスでアペロ →67/365 の後は屋内のダイニングへ移動。こだわりの食材を使用したお料理は、シェフのおまかせフルコースをいただきました。前菜の前に運ばれるアミューズ・ブーシュだけでも4皿あり、独創的で色彩豊かな料理の連続に、メイン料理に辿り着く前に、味はもちろんのこと、視覚的にも大満足。チーズはワゴンで運ばれてきて、好みのものを少しずつ選びます。デザートも含めると、全十数皿にもなります。中世の雰囲気が漂うサロンに移動して、お茶とお菓子で締めくくります。古城で星つきシェフの料理を堪能する ── これ以上ない魅力的な組み合わせです。

6月15日

キングサリ

　初夏、チューリッヒ湖畔にある自宅近くを散策していると、藤の花によく似た黄色い花が美しく咲いている風景に出会います。この花の名は英語で、「Laburnum（ラバーナム）」。和名では「キングサリ」とか「キバナフジ」と呼ばれるそうで、ヨーロッパ中部から南ヨーロッパを原産地とする植物です。キングサリは漢字では「金鎖」と書き、まさに黄色い花が金色の鎖の連なりにも見えることから、その名がつけられたようです。スイスでは毎年、藤の花が咲き終わる春の終わり頃、それと入れ替わるように、この鮮やかな黄色のキングサリが咲き始めます。満開の見頃を少し過ぎて、キングサリの花が散り始めると、風が吹くたびに黄色い花びらが青空の下を舞い散り、とても素敵な趣です。同じように藤の花によく似ている白い花ハリエンジュも、この季節にはスイスでよく見かけます。

6月16日

ツール・ド・スイス

　サイクルロードレース「ツール・ド・スイス」は、1933年に開始以来、途中何度かの中断もありましたが、毎年行われている歴史ある自転車レースです。2023年は8日間かけて、スイス各地のステージを巡り、競われました。湖畔などの平坦なコースや、アルプスの峠を越えるルートを含む山岳ステージなどが組み合わさり、過去にはチューリッヒ湖岸もコースになったことがありました。ステージゴールとなる近隣の町へと出かけると、周りは選手達のゴールを待ちわびる観衆でいっぱい。レースの様子はスイス国営放送で中継されます。協賛スポンサーの盛大なパフォーマンスも繰り広げられます。地元の選手が出場していたので、私もスポンサーからいただいた帽子をかぶって応援しました。ゴール間近のデッドヒートはものすごいスピードで、観衆からは拍手喝采と声援の嵐。スイスでは自転車人気が高いので、大人も子どもも、迫力あるレース観戦を楽しんでいました。

6月17日

イゼルトヴァルト

　日本でも大ブレイクした韓国ドラマ『愛の不時着』は、スイス各地のロケ地も話題となりました。そのうちの1つが、ベルナーオーバーラント地方のブリエンツ湖のほとりにある、スイスらしい趣の村「イゼルトヴァルト（Iseltwald）」です。窓辺に花が飾られた三角屋根のかわいい家が並び、湖畔から村へのどかな雰囲気の道が続きます。ブリエンツ湖はインターラーケンの東側にある横長の形をした湖です。氷河から溶け出した石灰分を多く含む水が流れ込むため、青と白、そして緑がかった絵の具を混ぜ合わせたような幻想的な色をしています。初めて訪れたイゼルトヴァルトはとても静かで、湖岸を散策しながら、ドラマに登場した桟橋や美しいブリエンツ湖をゆっくりと眺めました。桟橋にはその後、ドラマの聖地巡礼で訪れる旅行客が押し寄せ、写真撮影の行列が続きました。ブームに困り果てた村は状況を打開するため、桟橋に改札口を設置。約800円の入場料が必要となりました。

6月18日

ランバダという名のイチゴ

　スイスでのイチゴの季節は4月初旬頃から始まります。出始めの頃は輸入品が中心で、その後、国産イチゴのシーズンへと移り変わります。スイス産のイチゴといえば、ボーデン湖に面したトゥールガウ州で生産されるものが、甘くておいしいことで知られています。中でも、知る人ぞ知る最高のイチゴが存在します。その名は「ランバダ（Lambada）」。6月の数週間で旬を迎える、真っ赤な色合いのツヤツヤした美しいイチゴで、とても甘みが強いのです。ランバダは繊細なのが特徴で、摘み取って1〜2日で食べきらないと傷んでしまうため、なかなか一般市場には出回りません。土壌や天候の影響を受けやすく、育てるのが難しい品種なのだとか。近年では、トゥールガウ州以外でも栽培されています。チューリッヒでは、高級食材を取り扱うデパートの一部店舗でだけ期間限定で登場するので、そのときを狙ってときどき購入しています。幻のイチゴです。

6月19日

すべての人にオペラを

　6月の週末の夜に、野外でオペラ鑑賞を楽しめる「oper für alle（すべての人にオペラを）」が開催されます。チューリッヒ市内にあるオペラハウス前の広場に設置されたオープンエアの大画面で、公演中のオペラを予約なしに無料で体験できるという、夏の夜の恒例行事です。カクテルやワイン、軽食などの屋台が並び、夕刻になると折りたたみ椅子やブランケット、レジャーシートなどを持ち寄り、広場の周りに続々と人が集まり始めます。6時になると開始前の会場の様子などを映し出すプレ上映が始まり、8時から10時半までライブでオペラの様子が映し出されます。まだうっすらと明るい中、12,000人以上の来場者が夏の夜を楽しみます。スクリーンがとても大きく、かなり遠くからでも観ることができるため、車が通る大通り近くまで、立ち見している人々の姿もあります。好評のオペラに続き、2023年からは野外映画の上映も始まりました。

6月20日

家計管理とお小遣い制

　日本では、夫が稼いだお給料を妻が管理し、夫にはお小遣いを渡すというお小遣い制のスタイルがありますが、スイスではあまり聞いたことがありません。共働きの場合は、それぞれの支払いごとに役割分担を決めています。あくまでも個人的に知る限りですが、妻が専業主婦の場合、お金の管理は夫が担うことが多いようです。やり方としては、①妻へ月々決まった生活費を渡す、②夫婦共同の金融口座からそれぞれが必要に応じて生活費を引き出す、③必要に応じてその都度、妻に生活費を渡す、というのが一般的です。①のケースが多いようですが、③だという人も意外といます。だいたい想像はつくけれど、夫の年収をはっきりとは知らされていないという妻の話もよく耳にします。専業主夫の家庭もありますので、夫と妻で立場が逆の場合もあります。ここに紹介したスタイルがすべてではないと思いますが、所変われば、お金の管理方法も変わるものだと感じます。

6月21日

湖岸にある薔薇の町

　チューリッヒ湖岸のザンクト・ガレン州にある風光明媚な町、「ラッパーズヴィル（Rapperswil-Jona）」は、5～9月頃まで2万本以上の薔薇の花が咲くことから、「薔薇の町（Rosenstadt）」と呼ばれています。ローズガーデンは町の中心部3か所にあり、その他の場所でも、町のあちらこちらに薔薇の花が咲いています。ローズガーデンには約600種類の薔薇が植えられていますが、品種によって咲く時期が異なるため、長い期間、鑑賞できるそうです。中世の街並みが続く旧市街は、しゃれたブティックや小さな商店が並び、ウィンドウショッピングするだけでも楽しめます。薔薇の花を1輪ずつ眺めたり、石畳の町並みをのんびりと散策していると、なんだか時間もゆっくりと流れてゆくようです。城壁が残された丘に上り、そこから見下ろす青く輝くチューリッヒ湖は格別です。夏は野外ライブ、冬はクリスマスマーケットが開催され、季節によって違った楽しみのある町です。

6月22日

蚤の市

　新緑が薫る5月から、秋も深まりゆく10月までの間の土曜日に、湖岸に近いチューリッヒ市内のビュルクリプラッツで蚤の市「Flohmarkt（フリーマーケット）」が開催されます。緑豊かな広場で開かれる蚤の市は、1971年の開始から50年以上続いています。240の出品者は、かなり値の張る骨董品から、手頃な価格のレトロな小物、生活用品、絵画などの美術・工芸品、古本まで、さまざまなものを販売します。牛の首につける大小さまざまなカウベルや、エーデルワイスの花の絵が入った衣類など、スイスらしさがいっぱいつまった品もたくさんあり、意外な掘り出し物との出会いも楽しいもの。何も買う予定がなくても、散策がてら立ち寄りたい場所です。以前ここでアンティークのネックレスをリーズナブルな価格で購入しましたが、今も愛用しています。平日には同じ場所で朝市 →329/365 が開かれ、市民が集う生活の場となっています。

6月23日

シャフハウゼン

　「シャフハウゼン（Schaffhausen）」は人口約 35,000 人の小さな城下町です。ラインの滝 →34/365 があるノイハウゼンから電車で 1 駅、スイスの観光名所の 1 つでもあります。町の規模は大きくはありませんが、1868 年から続くスイスのマニュファクチュールの高級時計メーカー IWC の本社があることでも知られています。中心部には、15 ～ 17 世紀の中世の街並みが続く旧市街があります。色とりどりの古い建物が並び、市内に約 170 か所あるという凝った飾りを施した出窓のある家が目立ちます。こうした飾り窓は、かつては富の象徴だったそうです。美しい壁画が描かれた「騎士の家（Haus Zum Ritter）」や市庁舎、ザンクト・ヨハン教会など、中世の名残を感じさせる建物がたくさん残っています。ブドウ畑に囲まれた小高い丘の上には、町のシンボル的存在である円形の城砦、ムノート →85/365 が建っています。

6月24日

円形要塞

　ドイツとの国境、ライン川のほとりのシャフハウゼン →84/365
にある「ムノート（Munot）」は、1377年から町を守ってきた城砦の
一部です。ムノートは、16世紀に建てられた円形要塞の名称。中世
の町並みが続く旧市街を通り抜け、なだらかな坂道を上ると、丘の上
には町のシンボルであるムノートが見えてきます。現在もムノートを
守る番人が家族とともに塔内の住居で暮らしています。以前は男性が
番人を務めてきましたが、数年前から歴史上初となる女性の番人が選
ばれ、職に就いています。塔の中は、らせん状のスロープが上まで続
きます。階段の途中には、厚い壁に造られた銃眼（内部から銃や弓で
攻撃するための小さな窓）も残っています。番人は、屋上から町を
360度見渡し、危険が迫ったら警笛を鳴らして住民に知らせていまし
た。今も昔も変わらず、番人は人々の安全を保つため、ここから町を
見下ろし、いつでも鐘を鳴らせるよう待機しています。

6月25日

窓辺の花

　夏の窓辺や玄関先、庭先には、ゼラニウムやペチュニアなど、色と
りどりの花が飾られています。花を飾らなければならないというルー
ルがあるわけではなく、「自分の家を美しくしたい」という住人の強
い思いが、この窓辺の花にあらわれているのです。旅行者が多く訪れ
る山岳地方の観光地など、地域ぐるみで意識して飾っている場所もあ
ります。一部の地域では、窓辺や庭先を飾る花のコンテストまで開催
されるそうです。夏が近づく頃にガーデンセンター →66/365 を訪
れると、買い物カートいっぱいにゼラニウムを積んでいる人々の姿を
目にします。彩り豊かな花と一緒に小物をディスプレイしている家も
あります。窓辺には鉢植えが並べられ、庭やバルコニーには、上から
吊るして飾るタイプの花も人気です。両方がうまく組み合わされた家
は遠くからでも目立ち、思わず足を止めて見入ってしまいます。美し
く飾られた花を眺めるのが楽しみな季節です。

26 | Juni

6月26日

さくらんぼ祭り

　税率が低いことから、多くの高額所得者が居住することで有名なツーク州 →145/365 は、さくらんぼの収穫が盛んなことでも知られています。6月には収穫を祝い、さくらんぼ祭りが開催されます。収穫に必要な用具を使って、街中を走り回るレースをするのが祭りのメインイベントです。地元の男性と子どもは長いはしごを抱え、女性は大きな籠を携えて旧市街を駆け抜けます。近くの共有地で育ったさくらんぼを摘んでいたという古い伝統に起源がある競技だそうです。大人の男女、子どもに分かれての種別駆けっこや、さくらんぼの種を飛ばす競技などで、地元の人々は大盛り上がり。広場の市場や湖岸に並ぶテントでは、収穫したてのさくらんぼを購入することができます。ツーク州のさくらんぼは粒が大きく、ツヤツヤしていて甘いことでも人気で、州外在住の人々からも、このシーズンになると「ツークの大粒のさくらんぼが楽しみ！」という声が聞かれます。

6月27日

ビルヒャー・ミューズリー

　一般家庭の朝食 →36/365 で、よく食べられるのが、スイス発祥の「ビルヒャー・ミューズリー（Birchermüesli）」です。シリアルの一種で、オート麦にドライフルーツ、ナッツなどを刻み、混ぜ合わせたシンプルなものです。カットした生のフルーツをミックスして味わうのが好みという人もいます。もともとは、1900年頃にチューリッヒの療養所で患者さんのために作られた健康食品だったそうです。今では一般に広まり、朝食はビルヒャー・ミューズリーという家庭も少なくありません。時間のない朝に、豊富な食物繊維を手軽に摂れることも、人気の理由なのでしょう。食べ方はちょっと独特で、前夜に乾燥オート麦を水やミルクに浸しておきます。翌朝はそれがふやけているので、そこにお好みの具を入れるだけ。街にはミューズリー専門店もあり、ホテルに宿泊すると、朝食のビュフェでもグラスに分けられて並んでいます。まさにスイスの朝食の代表格です。

6月28日

愛国心

　スイス人は自国愛がとても強いという印象があります。生まれ育った国に愛情いっぱいなスイスの人々は、とても幸せな国民なのだとも感じます。以下、いくつかの例です。

- 建国記念日 →123/365 が近づくと、個人の家も含め、国旗が街のいたるところに掲げられます。建国記念日当日は、各地でお祝いの式典が開催され、参加者みんなで国歌を斉唱する自治体もあります。
- 国花であるエーデルワイスの花をモチーフにしたデザインの帽子をかぶっている人や、エーデルワイス柄の衣服を着た人も見かけます。スイス国旗の白い十字の模様、そして国旗の基調となっている赤は、特に好まれるようです。
- スイス国外にはほとんど旅行しない人もいます。特に古い世代では、愛する自分の国「スイス」以外に、お金を費やす必要はないと考える人々もいるそうです。

6月29日

ヨーデルフェスト

　3年に1度、スイスの伝統文化の祭典、ヨーデルフェストが開催されます。1924年にバーゼルでスタートして以来、毎回異なる都市で数か所の開催地に分かれて、ヨーデル、アルプホルンの演奏、旗回し（はたまわし）などの催しが行われます。国内の地区大会から勝ち進んだ奏者や歌い手が参加するコンテストがあり、3日間にわたるフェスト期間中は、出演者のみならず、観客も民族衣装 →347/365 を着ている人が目立ちます。所属するチームにより、衣装は男女それぞれ、実にさまざまです。会場内は有料ですが、街のいたる場所で、アルプホルンやヨーデルのパフォーマー達に出会え、本出演の合間に演奏する人々もいて、素晴らしい演奏が無料で楽しめます。街角の演奏は奏者との距離が近くて臨場感もあり、伝統文化に身近に触れられる絶好の機会です。演奏者も見物客も笑顔にあふれ、スイスの伝統行事を誇らしく感じている表情が、とても印象的です。

30 | Juni

6月30日

アペロールスプリッツ

　喉が乾く夏の暑い毎日には、冷たいカクテルが欠かせません。特に
スイスで人気なのが、イタリア生まれのオレンジ風味のリキュール
「アペロール」を使用した、「アペロールスプリッツ」というカクテル
です。スイス人はこのカクテルが大好きで、「これなしには夏を語れ
ない」と言っても過言ではないほど。レストランやバーなどのテラス
席では、昼間からアペロールスプリッツを注文している人々の姿をよ
く目にします。お店により多少レシピが異なるようですが、アペロー
ルを白ワインやシャンパン、またはイタリアの発泡酒プロセッコとソ
ーダ水で割るのが、夏の定番です。鮮やかな色と爽やかな味わいが人
気の秘訣。グラスの中にスライスしたオレンジを浮かべれば、もう完
璧です。家でも簡単に作れるカクテルなので、スーパーの棚にアペロ
ールリキュールの瓶がずらりと並んでいるのを見ると、「今年も夏が
やってきた！」と感じます。

7月1日

モントルー・ジャズ・フェスティバル

　「モントルー・ジャズ・フェスティバル（Montreux Jazz Festival）」は、1967 年から続く歴史あるジャズの祭典です。人口約 27,000 人の湖畔に佇む小さな町に、世界中から毎年約 25 万人の人々が集い、ジャズのパラダイスに！　2 週間のフェスティバル期間中、会場近くには屋台が並び、湖岸沿いではストリートパフォーマーの演奏や、広場では無料ライブも開かれます。4,000 人を収容できるメイン会場のオーディトリアム・ストラヴィンスキーは、1 階ホールがオールスタンドで、ステージを間近に見られ、出演者との距離がとても近いのが魅力です。私も何度かこの会場で、世界で活躍するアーティスト達の迫力あるライブを堪能しました。人気公演のチケットは、発売と同時にあっという間に売り切れとなります。ステージ上のアーティスト達の表情も、誇らしさに満ちあふれています。出演者と観客が一体となり、大変な盛り上がりを見せる会場は、独特のムードに包まれます。

7月2日

種類豊富なヨーグルト

　気温30℃を超える日も続く夏は、何かヒンヤリとしたものが食べたくなる季節。そんなときスーパーに出かけると必ず購入するのが、ヨーグルトです。乳製品がおいしい国ですから、さまざまな種類を選べます。年間を通して販売されているものもあれば、旬のフルーツなどを使用した、期間限定の商品も登場します。夏はアプリコットやベリー系、パイナップルなど、爽やかな味が人気のようです。変わり種だと、エルダーフラワー →55/365 や、ルバーブを使用したヨーグルトも。キャロット＆マンゴー、ビーツ＆ラズベリーなど、野菜と果物を組み合わせたヨーグルトもあります。毎日食べる人もいるので飽きないよう、販売する側も企業努力を重ねているのでしょう。免疫力を高めるヨーグルトは、朝食のみならず、デザート感覚でも楽しめます。初夏に登場する、甘酸っぱいピーチ＆アプリコットが、この季節の私のお気に入りです。

7月3日

バディへ行こう！

　夏、人々が集まる場所の1つが湖のプールです。湖岸には日光浴や水浴びを楽しむ人々の姿があります。スイスドイツ語では屋外のプールを「バディ（Badi）」と呼び、暑い日には「バディへ行こう！」が決まり文句。町によって異なりますが、小さな子ども達用にロープで区切られた浅いプールや、湖岸に白砂のビーチが広がっているところもあり、海のないスイスとは思えないほど。まるで本物の海辺にいるような気分を味わえます。私が住んでいる町のバディには、卓球台やビーチバレー、バーベキューなどの施設もあり、芝生の上でのんびりと日向ぼっこをしたり、湖で本格的に泳いだりなど、過ごし方は人それぞれ。数百円の入場料で、一日中楽しめます。白鳥やアヒルがゆったりと水面をゆく湖で泳ぐのは、多少の抵抗はありますが、涼しげな水辺の音、青々と茂る芝生と人々の笑い声……。こうした自然に包まれていると、時間がゆっくりと流れてゆくようです。

4 | Juli

7月4日

ブラスバンド

多くの市町村では、ブラスバンド（吹奏楽団）が活動しています。楽団により異なると思いますが、週に1〜2回くらい、団員が集って練習をするそうです。小さな村では一家全員が団員だったり、先祖代々ブラスバンドを続けているという家庭もあります。彼らの活躍の場はイベントやお祭りなど。建国記念日 →123/365 の式典でもブラスバンドが登場し、国歌の演奏に合わせて人々が国歌斉唱する場面があります。演奏する曲目は一般的なマーチをはじめ、ジャズ系、スイング、バラードなどさまざま。団員達は性別や世代を超えて活動しているので、幅広い楽曲の演奏に挑んでいます。若い世代の人も多く参加しているため、演奏する曲も若返っている気がします。イベントや記念式典の日が近づく頃に町を歩いていると、本番に向けてプレ演奏をしている姿を目にすることもあります。本番前の演奏とはいえ、元気をもらえるので、思わず足を止めて聴き入ってしまいます。

5 | Juli

7月5日

夏のルツェルン

　「ルツェルン（Luzern）」は、スイスのガイドブックや絵葉書に必ず登場する観光名所で、かわいらしい街並みと美しい風景が魅力です。夏は色とりどりの花々が咲き乱れ、14世紀前半に城塞の一部として建設されたカペル橋にも花が飾られて、美しさが一層引き立ちます。橋は街の中心を流れるロイス川に架かり、南岸と旧市街を結んでいます。橋の内側の屋根には、スイス連邦とルツェルンの数々の歴史が描かれた110枚の木版がはめこまれています。橋の真ん中にある八角形の塔は、かつて街を見張るための塔として使用されていました。旧市街には中世の街並みが残っています。繊細な彫刻が施された水飲み場（噴水）や、壁画が描かれた古い建物、歴史の刻まれた教会など、名所がいっぱい。お天気の良い日には、ピラトゥス →215/365 も眺められます。フィアヴァルトシュテッテ湖（通称「ルツェルン湖」）をフェリーに乗ってミニクルーズしてみるのもおすすめです。

7月6日

ファームの直売所

　採れたての新鮮な季節野菜を仕入れるため、月に何度か、ファームが運営する野菜の直売所（道の駅のようなお店）に通っています。それぞれのファームで何を栽培しているかにもよりますが、よく訪れる直売所では、春はスイス産のアスパラガス →6/365 や甘いランバダイチゴ →79/365、秋は色とりどりの大小のかぼちゃ、種類の豊富なりんごなど。一般のスーパーにはあまり並んでいない野菜もあり、どれも鮮度が良いです。卵 →283/365 が販売されているところもあります。大規模なものから、村はずれにある小さなものまで、さまざまな規模の直売所が点在します。住まいの近くにある直売所では、秋には農家で搾汁したりんごジュース →170/365 や、西洋梨と並んで日本の品種の丸い梨も登場します。甘い梨は口コミで評判が広がっているようで、近隣に住む日本人にも人気。あっという間に売り切れになってしまいます。

7月7日

犬も一緒に

　ほとんどのレストランで、ペットの犬は飼い主と一緒に店内へ入る
ことができます。入店の際、「犬も一緒に」と伝える人々の姿もよく
見かけます。お店側も心得ていて、ワンちゃん用に水を入れたお皿を
テーブルの下へ運んでくれたりします。飼い犬は最初に、飼い主と一
緒に定められたトレーニングを受けていますから、たとえレストラン
にいても飼い主のそばでおとなしくしています。吠えたりすることは
滅多にありません。電車やトラム →22/365、バス →359/365 など、
一般的な公共交通機関も犬と一緒に利用できます。近年では、職場に
犬を連れてくる人も増えているそうです。その場合、同じ部署で働く
他の同僚達の了解を得てからという流れが一般的。犬の散歩をしてい
る人達の姿をよく目にしますが、歩道には犬の糞を始末するためのナ
イロン袋を備えた専用ゴミ箱があちこちに設置されています。犬の飼
い主は犬税を支払っているため、それらは税金で賄われています。

7月8日

アイスコーヒーといえば……

　ほんの数年前まで、冷たいコーヒーはドリンクメニューにありませんでした。レストランやカフェでは、夏の冷たい飲み物といえば、アルコール類以外は、ミネラルウォーターやジュース、アイスティーが定番だったのです。カフェで「アイスコーヒー」を注文すると、アイスクリームの上に生クリームがトッピングされ、底のほうにほんの少しコーヒーの液体が入っている、まるで「コーヒーパフェ」と呼んだほうがふさわしいようなものが出てきました。想像していたアイスコーヒーとはまったく別物！　近年は、米国系のコーヒーチェーンが参入してきたこともあり、アイスコーヒーを注文できるお店も増えてきて、時代の流れを感じます。冷たいコーヒーやラテを提供するお店は増えても、ガムシロップはほぼ流通していません。温かいコーヒーに使うスティックシュガーが添えられているのですが、冷たい飲み物にはまず溶けない！というオチがあります。

7月9日

美食家が通う食材店

　チューリッヒの旧市街 ニーダードルフ地区は、中世の面影を残す古い建物が軒を連ね、旅行者にも人気の場所。その一角に、古くから地元の人々に愛される1864年創業の食料品店「シュヴァルツェンバッハ（Schwarzenbach）」があります。長い歴史を経て、今日も美食家達が足繁く訪れるお店です。店内に入ると、挽きたてのコーヒーのとても良い香りに包まれます。このお店はコーヒーや各種お茶の品揃えが多いことでも知られていて、奥には世界各国のコーヒー豆がつまったケースが並んでいます。私も、ちょっぴり贅沢をしたいときには、このお店でコーヒー豆を購入します。調味料やスパイス類、ドライフルーツ、ナッツの品揃えも豊富。隣は同じ系列のチョコレート専門店になっていて、手作りのチョコレートが300種類以上もあります。チョコのお店に併設されたエスプレッソ・バーでは、挽きたてのコーヒーをその場で味わうこともできます。

7月10日

エーデルワイスのブーケ

　スイスに住み始めた頃、国花のエーデルワイスは、高い山の谷間に
ひっそりと咲く花で、ガイドさんを伴うハイキングをしないとなかな
か目にできないという、幻の花のイメージがありました。ところが、
ここ数年で驚かされるのが、夏になると高山植物のエーデルワイスを
意外と街中でも目にすることです。育種により生まれた「エーデルワ
イス・ヘルベティア」が出回り、一層身近になりました。チューリッヒ
州でも建国記念日 →123/365 が近づくと、一部のお花屋さんやガーデ
ンセンター →66/365 にエーデルワイスの鉢植えが並びます。建国
記念日のお祝いシーズンには、エーデルワイスのアレンジメントやブー
ケ、切り花を販売するお店もあります。こんなに素敵で珍しいブーケ
をプレゼントされたら、さぞかし嬉しいことだろうと思います。世
界広しとはいえ、街中にエーデルワイスがあふれる光景はスイスだけ
かもしれません。そんなふうにも感じさせてくれる夏の生活風景です。

7月11日

最低賃金

　物価が高いことで知られるスイス。マクドナルドのビッグマックが1つ1,000円以上という話は有名です。背景には、人件費が大きく関係しています。国の法定最低賃金はありませんが、ヌーシャテル、ジュラ、ジュネーブ、バーゼルシュタット、ティチーノの5州で最低賃金が設定されており、次いでチューリッヒでも導入が決定しました。州ごとに異なりますが、パートタイマーの最低時給がジュネーブ州で24スイスフラン（約3,740円）、ティチーノ州で19スイスフラン（約2,960円）です。スーパーで働く従業員は、年金、保険、社員割引券の取得など、福利厚生が優れていることからなかなか退職者が出ないそうです。レジのパートの仕事は、前任者が知り合いに声を掛けるとあっという間に次の人が決まることが多く、求人広告を出したときには熾烈な争いになるそうです。（最低時給は2023年1月の金額。為替レートは2023年の年間平均額、1スイスフラン＝約156円で計算。）

7月12日

BENTO BOX (お弁当)

　近年、SUSHI →302/365 やラーメン →70/365 など、日本食が
人気です。スイスの人達に最近支持されているのが、1つの箱にいろ
いろなおかずが入った、いわゆる「お弁当」スタイルの日本食。
「BENTO BOX」として、各地の日本食レストランや、アジアレスト
ランなどでも提供されるようになりました。チューリッヒ市内にある
「Sala of Tokyo」は、チューリッヒで最も古い日本食レストランです。
開業当初から代替わりして、今はスイス人オーナーが2代目を務めて
いますが、先代の味を受け継ぎながら、時代の流れを敏感に感じ取り、
新しいチャレンジもしています。夜は高級懐石コースや和牛料理など
が中心ですが、お昼限定の「BENTO BOX」は、日本食を気軽に味
わえるので、日本人のみならず、スイス人にも人気です。少しずつさ
まざまな種類のおいしいものがつまっているお弁当スタイルは、スイ
ス人のハートを（そして胃袋も！）つかんだようです。

7月13日

2階建てオープントップロープウェイ

　「カブリオ（CABRIO）」は、フィアヴァルトシュテッテ湖の南に位置する山、シュタンザーホルン（標高約1,900m）に登るときに利用できるロープウェイです。世界初のオープンデッキつき2階建てロープウェイとして、2012年の誕生以来、観光の目玉になっています。もともとは100年以上前に、シュタンザーホルン山頂のホテルへ登るための交通手段として、ケーブルカーが運行されていたそうです。その後、観光用にオープントップのロープウェイ建設計画が立てられ、実現しました。麓の町 シュタンスをレトロなケーブルカーで出発し、途中駅で2階建てロープウェイに乗り換えて、山頂へ。お天気の良い日は爽やかな風を受け、オープンデッキは開放感でいっぱいです。まるで空中散歩をしているような気分に浸れます。山頂の展望台からの、壮大なアルプスや青く輝く湖の眺めは圧巻。自然豊かな山のハイキングコースは、家族連れや地元の人々に人気です。

7月14日

スイスの首都ベルン

12世紀に、アーレ川に囲まれた小高い場所に建設された「ベルン（Bern）」は、スイスの首都です。街全体がユネスコの世界遺産に登録されています。領主であったツェーリンゲン家の人々が、森を開拓して領土を広げた際、狩猟で最初に捕えたのが熊（ドイツ語で Bär）だったことが、ベルンの名前の由来だそうです。熊はベルンのシンボルで、州旗にも描かれています。街の見どころは中心部に集中しており、3時間もあれば、歩いてほぼすべての名所を巡ることができます。ドーム型の屋根が美しい連邦議事堂では、スイス連邦政府の国会（上院・下院）と、州議会が開催されています。連邦議事堂前の噴水のある広場は、いつも世界中からの観光客で賑わっています。街の中心を流れるアルプスの水を集めたアーレ川は、青く澄み、真夏は川で泳ぐ地元の人々の姿も。赤い屋根の並ぶ古い街並みは、どこかノスタルジックな雰囲気です。

7月15日

船上の槍試合

　チューリッヒのリマト川では、3年に1度、伝統行事「船上の槍試合」が開催されます。昔の各種職業別の組合（ギルド）の建物、ツンフトハウスの前で行われるこの行事は、中世後期に馬上で行われた槍試合を船の上に移したもの。馬上で行われる槍試合は、当時人気のスポーツだったそうです。現在はその伝統を継承する行事として、お祭り感覚で引き継がれています。昔は尖った盾と槍を用いて戦う競技だったそうです。現代版では、当時のギルドの衣装を身につけた男性達が各チームに分かれ、船着き場から2隻の小船に乗って出発します。そして、槍に見立てた棒の先に球状のものをつけて船の先端に1人ずつ立ち、槍を突いて相手を攻撃するというもの。川に落ちたら負けというシンプルなルールです。ずぶ濡れになる様子はコミカルでもあり、川沿いや橋の上から眺める観客達からは笑いや歓声が上がります。楽しく愉快な伝統行事です。

7月16日

市民の憩いの場

　チューリッヒ市内にはいくつもの緑豊かな公園があります。湖沿いのゼーフェルトのエリアにも、「チューリッヒホルン（Zürichhorn）」という公園があります。かつては木々が生い茂る手つかずの田園地帯でしたが、現在は花々に囲まれた湖岸に遊歩道が整備され、周囲には芝生が広がっています。遊歩道に点在するベンチに腰掛けて読書をしたり、散策やジョギングを日課にしている人々の姿も。近隣の会社勤めの人から、休憩時間にランチを食べに来る学生まで、誰もが思い思いの時間を過ごせる場所です。夏には湖の屋外プールもオープンします。おしゃれなレイクバーも開き、ちょっとしたビーチ気分を楽しめるのも魅力。芝生の上で持ち寄ったタオルを敷いて、寝転がって日光浴している若者の姿もよく見かけます。私も晴れた日には、移り変わる景色を楽しみながら、普段はトラム（路面電車）で移動する1駅か2駅分をウォーキングしています。

7月17日

レマン湖クルーズ

　「レマン湖（Lac Léman）」はスイスとフランスにまたがるアルプス地方最大の湖です。おすすめはレマン湖クルーズ。中型のフェリーや、レトロな雰囲気の蒸気船で数時間揺られる船旅です。フランス側（南岸）にはフレンチアルプス、スイス側（北岸）には世界遺産であるラヴォー地区のブドウ畑 →187/365 など、絶景を見渡しながら、極上の時間を過ごせます。スイス側の湖岸には、リュトリ、ヴヴェイ、モントルーなど、「スイスのリヴィエラ」と呼ばれる風光明媚な景色が続いています。気候が温暖なこともあってか、高級ホテルや別荘などが建ち並びます。船は1階が2等、2階が1等客室です。太陽を浴びながら、デッキの椅子に腰掛けて景色を楽しむも良し、屋内のレストランでランチを楽しむも良し。夕刻はシャンパングラスを片手に、船上でアペロ →67/365 も最高。雄大なフレンチアルプスと、どこまでも広がるブドウ畑の景色は美しく、壮大です。

7月18日

国民投票

　スイスは直接民主制で、国民は国民投票の権利を持ちます。世界でも投票回数の多い国の1つだそうです。選挙権を持つのは、外国人、未成年者などを除く国民の約3分の2の人口で、通常は年に4回ほど国民投票が行われます。国民発議を起こし、憲法の改正案を提案できる権利を持ちます。国民投票が近づくと、街には選挙のポスターが目立ちます。「日曜日に一般のお店を開けるべきか?」といった身近なことから、「定年の引き上げ」など、政治にかかわる決断が国民に問われることも。グラールス州やアッペンツェル・インナーローデン準州などの一部地域では、年に1度、ランツゲマインデ(青空住民集会)が開催されます。投票権を持つ有権者が州庁舎前の広場に集まり、挙手によって可決か否決かの選挙が行われる、古典的な直接民主制が引き継がれている地域もあります。オンライン投票の試みも始まっており、在外スイス人の中には、国外から投票する人々もいます。

7月19日

バーベキュー

　スイスの人々はバーベキューが大好きです。真夏はもちろん、年間を通して屋外でのバーベキューを楽しみます。おそらく一家に1台はあると思えるほど、どこのご家庭にもバーベキューセットがあるようです。屋外で食事をするのが好きで、魚よりも肉を好んで食べる人々が圧倒的に多いことも、バーベキューが愛される理由かもしれません。家族や友人同士で集まることが多いですが、時には、マンションなどの集合住宅で、同じ建物に住んでいる住人同士の交流を深めるためにバーベキュー大会が開催されることもあります。そのような場では、ほぼすべての会話で、スイスドイツ語 →138/365 が使われます。そのため、正直なところ、少々ハードルが高いと感じることも。ただ、たとえ言葉の壁があったとしても、たまには熱々の焼きソーセージ →62/365 をほおばりながら、ビールやワイングラスを片手に長い夏の夜を隣人達と楽しむのも、スイススタイルなのだと感じています。

7月20日

ボー リヴァージュ パレス ローザンヌ

　「ボー リヴァージュ パレス ローザンヌ (Beau-Rivage Palace Lausanne)」は、レマン湖畔に建つ、歴史ある美しいホテルです。フレンチアルプスが眺められる絶好のロケーションにあります。各国の歴史的著名人、有名人達も宿泊する由緒あるこのホテルは、アール・ヌーヴォー様式の優美で豪華絢爛な雰囲気を醸し出しています。通行客で賑わう湖岸のプロムナードを通り、ホテル内へ入ると、静寂のプライベート空間が広がります。緑豊かで広大な庭園を散策すれば、心もリフレッシュ。中庭のテラスでは、朝から晩までお茶やカクテルを楽しめます。夜は館内のグルメレストランで舌鼓。部屋から眺めるレマン湖とアルプスは朝昼晩とその姿を変え、ため息が出るほどの素晴らしさ。スパとプールも充実しているので、のんびりとプールサイドで過ごす午後もラグジュアリーな気分になれます。まさに、大人の休日を存分に味わえるホテルです。

7月21日

オリンピック・ミュージアム

　オリンピック・ミュージアムは、ヴォー州の州都ローザンヌにあります。最寄り駅の天井には、世界各国の国旗を持ったオリンピック出場選手達の飾りがいっぱい。ミュージアムはレマン湖を一望できる高台にあり、世界中から旅行者が訪れます。ずらりと並べられた世界各地を駆け巡った聖火トーチ、大画面のスクリーンに映し出される歴代のオリンピックの場面などを見学していると、その歴史はもちろんのこと、さまざまな分野でこの祭典に携わってきた多くの人々の思いを感じさせられます。また、スポーツを通じて平和を祈る気持ちも湧いてきます。過去2回開催された東京オリンピック、そして札幌、長野の冬季オリンピックなど、日本に関する展示物を目にすると、胸にぐっと迫るものがあります。オリンピック・ミュージアムは、ヨーロッパ内で最も優れた博物館に選ばれたこともあり、ネットの口コミでも「行ってみて良かった」という声が多い場所です。

22 | Juli

7月22日

音のルール

　スイスには、生活音に関しての取り決めがあります。マンションなど集合住宅によっては、音が隣近所に響いてうるさいからという理由で、夜10時以降の男性のトイレの使い方に決まりがあったり、深夜にトイレの水を流すのが禁止されていたりします。こうした決まりは法律によるものではなく、住居ごとに設けられたハウス・ルールのようなもの。夜間のトイレ利用について厳しいルールがあるのが当たり前の時代もありましたが、最近はよほど古い建物でもない限り厳しいルールの存在を耳にすることは少なくなりました。とはいえ、楽器の演奏は1日に数時間と決められていたり、「日曜日にできないことのリスト」が定められている住居もあります。また、庭草の刈り取り、ドリルやハンマー、掃除機の使用などが日曜日はNGの場合もあります。内容はさまざまでも、基本的には大きな音を立ててはいけないというもので、騒音に敏感な人が多い国、スイスらしい音のルールです。

114
/
365

7月23日

フラウミュンスター（聖母教会）

　グロスミュンスター →29/365、聖ペーター教会 →71/365 とともに、チューリッヒの街のシンボルでもある「フラウミュンスター（Fraumünster ／聖母教会）」は、リマト川沿いに建つ教会です。もともとは853年に女子修道院として建築され、18世紀頃に時計塔がある現在の姿になったそうです。聖堂内にあるステンドグラスは、1970年代のシャガールの作品です。教会内部は、5スイスフランで見学できます。光を受けて輝くシャガールのステンドグラスはそれは美しく、いつまでも見ていたいと思うほど。スイスの芸術家 アウグスト・ジャコメッティが制作したステンドグラスもあり、こちらも素晴らしいです。ステンドグラスを眺めながら、しばらくの間、静寂に浸ります。教会内は写真撮影禁止なので、心のファインダーにしっかり留めておきます。夕日の当たる教会の眺めにも目を奪われます。外から撮影する夕刻のステンドグラスはおすすめのフォトスポットです。

7月24日

お呼ばれのプレゼント

「食事会へお招きされたら、手土産には何がベストでしょうか?」
とよく質問されます。どのような集まりかによりますが、招いてくだ
さったホストへ何かプレゼントをお渡しするのがマナーだと私は考え
ています。相手の好みを考えて、ワインやシャンパン、お花、チョコ
レートのつめ合わせなど。その場で一緒にいただくものとしてではな
く、ホストへの贈り物としてお持ちします。そういった贈り物は、招
待客からも見える場所に置かれる(飾られる)のが暗黙のルール。食
事会でいただくワインや飲み物は、招いた側が準備しています。その
ため、贈り物としてホストに持参したワインがその場で開けられるこ
とは、こうしたスイス人達との集まりの場では、まずありません。ホ
ストの顔を思い浮かべながら、好みに合わせたプレゼントを選ぶ時間
も、なんとなく楽しいもの。ちなみに、我が家でお客様をお招きした
ときには、ワインと花束をいただくことが多いです。

116
/
365

タトゥー

　タトゥーを入れた人々の姿、スイスでは意外と普通な光景です。スイスでは普通……というよりも、「欧米では普通」と言ったほうが正しいのかもしれません。海外の一部の国々では、タトゥーは個人の自己表現やおしゃれの一環として捉えられているようです。日本とは違って、タトゥーをしていることで、温泉施設やプールなどで入場を断られることはありません。スイスでは、国民の10人に1人はタトゥーをしているというニュースを聞いたことがあります。特に若い世代は、タトゥー経験のある人々が多いそう。確かに、街を歩く人を観察していると、男性は腕や足にダークな色合いで、女性は手首や足首などにカラフルな色合いでお花などのワンポイントのタトゥーをしているのをよく見かけます。見慣れてはいるものの、ちょっと驚いてしまうこともたびたびです。日常的に見る風景にも、日本とスイスで、文化の違い、捉え方の違い、考え方の違いを感じます。

7月26日

シュプルングリのカフェ

　「シュプルングリ（Confiserie Sprüngli）」は、人々に愛されるお菓子の名店です。チューリッヒのパラーデプラッツ →53/365 に本店があり、いつも多くの人々で賑わっています。1階が売り場、2階は地元のマダム達も訪れる、クラシックな雰囲気の老舗カフェです。このカフェは旅行者にも人気で、夏は大通りに面した屋外テラスがおすすめ。観光地ではない場所のカフェやレストランのメニューは、写真がないことが多く、ケーキを注文するときもサンプルはないので、ショーケースまで行って、実物を見て選ぶこともあります。私のお気に入りは、ラズベリーがたっぷり乗ったトルテなのですが、1個のお値段は 1,600 円ほどします。他のケーキも 1,000 円以上するものがほとんど。コーヒーや紅茶がセットになっているのは一般的ではなく、飲み物は別注文となります。かなり贅沢なティータイムになりますが、雰囲気が素敵なので、年に 1〜2 回くらい利用しています。

118
/
365

7月27日

街全体がアート

　チューリッヒの街全体が突然、数々のアートで彩られることがあります。予告なしに始まる屋外の青空展示なのですが、だいたい4～5年おきくらいの間隔で行われます。何の前触れもなく、ある日突然、街が一変する様子は、ちょっとした見ものです。バーンホフシュトラッセ →65/365 の頭上に歴史的な著名人達の顔が掲げられたり、旧市街へ続く通りがカラフルな旗で彩られたり、人気ベジタリアンレストランの建物全体が緑色の芝で覆われて大変身したのを見たこともあります。バーンホフシュトラッセからチューリッヒ湖のほうまで、大きな鉢植えのアートが並んだこともありました。地元の人々も知らされていないので、突如出現する街中アートの数々にびっくりするそうです。このような大がかりなもの以外にも、小さな通りや石段に、絵画やアート作品が展示されていたりするのもときどき見かけます。

7月28日

建国記念日のパンと限定グッズ

　8月1日の建国記念日 →123/365 が近づくと、あちらこちらで見かけるパンがあります。「1 AUGUST WEGGLI」と記されたこのパンは、8月1日のお祝いに欠かせない食べ物で、7月頃から出回ります。意外と柔らかくてほんのりナチュラルな甘みがあり、ツォップ →23/365 に似た味わい。この時期、パン以外でもスイスの国旗をモチーフにしたものや、国花のエーデルワイス →5/365 がデザインされた商品がたくさん店頭に並びます。国旗の色である赤と白を組み合わせた商品は、人々に好まれているようで、1年を通してよく目にします。建国記念日はバーベキュー →110/365 でお祝いという家庭も多いので、屋外で使用するお皿やカップ、ナプキンなどにもスイスらしい絵が描かれています。これらの限定品は、毎年デザインや商品の種類が入れ替わります。翌年は同じものが手に入らないこともあるので、かわいいデザインを見つけてはコレクションしています。

7月29日

ソルトバスが魅力、湖岸のスパリゾート

　トゥーン湖岸のメルリンゲン（ベルン州）にあるスパリゾート、「ベアトス ウェルネス & スパ ホテル（BEATUS Wellness- & Spa-Hotel）」は、プールに入る感覚で利用できるソルトバスが魅力です。ホテル敷地内の岸にはフェリーの船着場があり、船でも行き来できます。宿泊客は部屋で水着に着替え、バスローブを羽織ってそのままスパへ。浴室内は水着着用です。湖岸にあるソルトバスの温度は 35℃。ぬるま湯なのでゆっくり浸かっていられます。打たせ湯やジャクジーもあり、寝そべってくつろげるタイプのジャクジーが人気です。スパの中にはサウナ → 322/365 もあるのですが、こちらはスイス国内の他の一般サウナと同様、男女混浴です。ソルトバスでのんびりとくつろいだ後に夕食。夕暮れ時のトゥーン湖は幻想的で、朝はキラキラと美しく輝いています。ソルトバスに何度も浸かってのんびり。日本の温泉感覚で楽しめます。

7月30日

家庭用打ち上げ花火

　年に２回だけ楽しむことができるのが、打ち上げ花火です。打ち上げ花火といっても、花火大会でプロの職人が打ち上げる本格的なものではなく、家庭用の娯楽として使用する打ち上げ花火のこと。スイスでは、例えば線香花火などの小型の花火も含め、一般の人が花火を楽しめるのは、建国記念日 →123/365 と、大晦日 →275/365 の２回だけと決められています。これらの日が近づくと、スーパーでは家庭用の打ち上げ花火を販売する専用ブースが登場します。花火はスイスでは高額で、大型の打ち上げ花火なら１本5,000円以上します。道路脇に臨時にできた花火屋さんの近くを散策していると、次から次へと車で花火を買いにやって来る若者やファミリーでいっぱいに。音（騒音）に対して厳しいルール →113/365 がある国なので、年に２回しかない機会を逃すまいという人々の情熱を感じます。

7月31日

チューリッヒのライオン

　チューリッヒでは、街のシンボル的存在であるライオンが描かれた
グッズやチョコレートなどをよく見かけます。3年に1度開催される
チューリッヒのお祭り「チューリッヒフェスト（Züri Fäscht）」のキャ
ラクターや、チューリッヒのアイスホッケーチーム「ZSCライオ
ンズ」の名前にも使われています。スイス国立博物館 →196/365 の
解説によりますと、ライオンとチューリッヒの関係は中世にまで遡り
ます。当時、ヨーロッパ内の貿易ルートを確保したかったヴェネチア
が、屈強な戦士として名を馳せていたスイス兵士の力を得るため、ベ
ルン、チューリッヒと同盟を結び、友好が深まったのだとか。チュー
リッヒへ寄贈された贈り物の中に、ヴェネチアの象徴の獅子（ライオ
ン）の装飾が含まれていたことで、その頃からチューリッヒのシンボ
ルとして広まったと考えられるようです。街でよく目にするチューリ
ッヒのライオンには、そんな由来と長い歴史があったのです。

8月1日

建国記念日

　8月1日はスイスの建国記念日。国民が母国に愛国心を持ち、国を上げてお祝いする日です。チューリッヒ州では、各町でお祝いの式典が開催されます。建国記念日が近づくと、自宅の郵便受けには、国歌の楽譜と歌詞が記載された案内状が届き、「建国記念日には、国旗を立ててお祝いしましょう」というメッセージが！　初めて受け取ったときは驚きました。住まいの町の式典に何度か参加したことがありますが、地元のブラスバンド →95/365 の演奏の中、人々はビールを飲み、焼きソーセージ →62/365 を食べながら、歌ったり踊ったりして、盛大にお祝いします。町の代表者の演説後には、全員が起立して国歌を斉唱。賑やかな宴は夜中まで続きます。夜はチューリッヒ湖に花火を打ち上げるのが慣わしでしたが、近年は気候変動の影響で高温の日が続くことがあり、火災防止と環境保護のため、花火の打ち上げが行われない年も増えました。

124
/
365

8月2日

ユングフラウヨッホ

　「ユングフラウヨッホ (Jungfraujoch)」は標高3,466mの山です。壮大なアレッチ氷河とともに、「スイスアルプス ユングフラウ - アレッチ」として、世界自然遺産に登録されています。山の上まではアルプスの絶景を眺めながら、登山鉄道で。ユングフラウヨッホ駅 (3,454m) はヨーロッパの最高地点にある鉄道駅です。列車はクライネ・シャイデックから名峰アイガーを眺めながら、約35分かけてゆっくりと登ってゆきます。山の上の複合施設「トップ・オブ・ヨーロッパ」の中にある「スフィンクス展望台 (3,571m)」からは、正面にそびえるメンヒやユングフラウなど、美しい山の景色が眺められます。スフィンクス展望台の地下には、氷の彫刻が並ぶアイスパレスや、一年中雪が溶けない雪原があり、スノーハイキング →295/365 を楽しむ人の姿もあります。人によっては高山病の症状が出ることもあるので、山の高さに慣れるまでは用心が必要です。

3 | August

8月3日

にんじんはおやつ?

　にんじんをおいしそうに食べる子ども達の姿をよく見かけます。しかも「生」で！　電車の中や散歩途中に、お母さん達がバッグの中から容器を取り出し蓋を開けると、スティック状の生にんじんが入っています。子ども達は、まるでアイスキャンディーを見つけたかのように目を輝かせて笑顔で受け取り、何もつけずにそのままかじり始めます。スイスに住み始めた20年近く前に初めてその場面に遭遇したときは驚いたのですが、今ではすっかり慣れてしまいました。でも、なぜスイスの子ども達はにんじんを、おやつとして食べているのでしょうか？　それは実際に生で味わってみて、わかりました。味にくせがなくて、自然な甘味もあり、おいしいのです。私も料理の途中で切れ端をポリポリとかじることもあります。スーパーで販売されているフィンガーサイズのミニにんじんは、洗って皮ごと食べられるヘルシーなおやつです。

8月4日

湖岸の隠れ家レストラン

　チューリッヒ湖岸の高台からアルプスと湖を眺められる場所に、隠れ家的な一軒家レストラン「ブッフ（Restaurant Buech）」があります。目の前にはブドウ畑が広がっていて、チューリッヒ市内にあるお店とはちょっと趣が異なります。夏はテラスでアペロ →67/365 をいただいた後、屋内のテーブルへ。屋内には古い掛け時計が飾られ、調度品にもこだわりと温もりが感じられます。料理は季節の食材を使った仔牛のカツレツや湖の魚料理など、スイスの一般的なもの。地元産ワインも楽しめます。テラスの脇には、ドイツ語で「ヒュッテ（Hütte）」と呼ばれる山小屋もあり、プライベート空間として利用できます。有名人も通うお店のようで、ここで誰もが知るような著名人に遭遇したことがあるのですが、スイスではプライベートな時間を尊重するので、著名人だと気づいていても、誰も声をかけたりはしません。いろいろな意味で、スイス的な感覚を味わえる場所です。

8月5日

市民の足としても利用されるフェリー

　気軽に楽しめるチューリッヒ湖のクルーズは、旅行者のみならず、地元の人々にも人気です。湖を1周する観光コースや、目的地までピンポイントで乗り降りすることもできます。交通ゾーン内であれば、チューリッヒ地区の片道または往復の乗車券で利用できるので、電車代わりに地元の人々の足としても利用されています。私も住まいのある湖岸の町からチューリッヒまで、フェリーで行くことがあります。1階が2等席、2階が1等席。レストランつきの船も多く、乗船中に食事もできます。飲み物だけの利用が可能な席もあります。デッキのベンチに座れば、1人でものんびり気軽にクルーズ気分を味わえるのが魅力です。チューリッヒまで電車を利用すれば約30分のところ、フェリーだと約3倍の時間がかかるのですが、美しい景色を眺めながらの移動は、爽快な気分に浸れます。時間に余裕のある晴れた日には、こんな贅沢な時間の使い方も気に入っています。

8月6日

エアコンがない！

　暑さがピークの頃は、30℃を超える日が続くことがあります。ヨーロッパ全体が猛暑に見舞われる年も多くなり、スイスでも35℃前後まで上昇する日が増えました。一部の5つ星ホテルやスーパーにはエアコンが設置されていますが、一般家庭ではエアコンがないのが普通なので、扇風機などで暑さをしのぎます。タンクに水を入れた冷風機や、ポンプを窓の外に出して使用する簡易型のクーラーを購入する人々も増えました。エアコンが普及していない理由は、環境保護（エコ）に対する、人々の意識の高さによるものです。また、賃貸住宅の場合、室外機を屋外に設置するには大家さんの許可が必要で、退去するときは外して元どおりにしなければならないなど、少々面倒な事情も。エアコン設置は持ち家でない限り、あまり現実的ではありません。エアコン本体だけでなく、設置のための工事費用がとても高いのも、普及が進まない理由の1つです。

8月7日

気象病

　スイスでは10人に1人が偏頭痛に悩まされているといわれています。女性の割合は男性の2倍で、多くが気象病の影響です。フェーン現象 →236/365 も関与しているようです。光や騒音などに過敏に反応することで生じる「ミグレーネ」という、激しい偏頭痛の症状を訴える人もいます。原因ははっきりとは解明されていないそうですが、「ミグレーネ内科」という専門内科もあるくらいです。天気の変化の前に、頭部に圧迫感を感じるという体質の人や、不調があらわれる前になんとなく予兆を感じる人もいるようです。ヨガや軽いストレッチをして身体をリラックスさせたり、ハーブティーで心を落ち着かせたりなど、対策も人それぞれ。症状が完全に出る前に処方薬を服用して偏頭痛を免れるという知人もいます。スイスに移住する前は、そんな体調不良はまったくなかったという声も多く聞かれるほど。スイス特有の気象病だといえそうです。

8月8日

ヘルシーなのが人気

　肉中心の食生活を送る人々がまだまだ多い印象のスイスですが、最近は健康面を意識して、ソーセージやハムの摂取量を気にする人も出てきました。「1日に40g以上のソーセージまたはその加工品を食すると、大腸ガンになるリスクも高まる」とチューリッヒ大学の調査チームが発表したからです。それ以来、「牛肉や豚肉以外はお肉とは言えない！」とまで豪語する肉好きのスイス人ですら、「ソーセージくらいは鶏肉にしておこうか」と考える人が増えてきたのです。そんな流れの中で注目を集めているのが、鶏肉を使用したヘルシーなソーセージ。スイス国民が愛するスーパー MIGROS →57/365 のテイクアウト用の売り場には、この鶏肉ソーセージが入ったパンも販売されています。味はあっさりとしていて、おいしい！　週末の買い物ついでにこの鶏肉ソーセージパンをブランチとして食べていますが、毎週食べても飽きがこない、さっぱり系なところもグッドです。

8月9日

町を見下ろすユートリベルク

　スイス人は自然が大好き。晴れると山に出かける人も多いですが、平日はなかなか遠出をするのが難しいのが現実。でも、チューリッヒ市の郊外にある山「ユートリベルク (Uetliberg)」なら、チューリッヒ中央駅から電車で約30分。気軽にハイキングを楽しんだり、お昼にお弁当を持って足を延ばす人もいる、憩いの時間を過ごせる場所です。ユートリベルクの駅を降りて10分ほど登っていくと、展望台があります。途中、屋外でよく目にする火をおこせる設備もあり、そこでバーベキューを楽しむ人々も。晴れた日の展望台からは、チューリッヒ市内はもちろんのこと、チューリッヒ湖、遠くにはアルプスの景色まで見渡せます。頂上にあるホテルのテラスでは、ランチを楽しむ人々の他、スーツ姿でビジネスミーティングをする会社員達の姿もあります。時にはオフィスから離れて、絶景を眺めながら仕事をする光景も、スイス独特のビジネススタイルだと感じます。

8月10日

留年は恥ずかしいことじゃない

　8月が終わりに近づくと新学年の始まりです。スイスの義務教育で驚いたことの1つが、意外と簡単に留年する子ども達がいるという事実です。小学校に上がることを見送り、幼稚園の最終学年を1年やり直しするケースも稀にあります。小学校でも同様で、上の学年に上がる前にもう1度同じ学年で学ばせるケースがあります。日本人の感覚でこの事実を聞いたときには驚きを隠せませんでしたが、スイスではごく普通のことなのだそう。子どものペースに合わせて、もう少し時間をかけて学んだほうが良いと先生が判断すれば、同じ学年をやり直すのです。保護者側もそれをポジティブに受けとめます。人生を長いスパンで捉え、しっかり学んでから次へのステップへと進むのが、子どもにとっての最善策だと考えられているのです。スイスの人々は他人の目を気にせず、マイペースな人達が多い印象があるのですが、それは子ども時代の教育でも培われているのかもしれません。

8月11日

マッターホルン

　個人的な見解ではありますが、「スイスを連想するもので、まず思い浮かぶものは？」と問われれば、「壮大なアルプスの山々」だと答えます。中でも真っ先に思い浮かぶのが、スイスの象徴的存在ともいえる「マッターホルン（Matterhorn）」です。麓の村ツェルマット →317/365 のあちらこちらから、登山鉄道 →299/365 の車窓から、終着駅のゴルナーグラート展望台から、さまざまな角度で眺められる山です。夏は登山鉄道を途中下車して、大自然に囲まれたハイキングコースを歩きながら、間近に迫るマッターホルンを眺めるのも旅行者に人気です。マッターホルンの雄大さと、リッフェル湖の水面に映る逆さマッターホルンの美しさは、ため息が出るほど。朝日が昇る前に、陽の光に照らされて、マッターホルンの山肌が薔薇色に美しく染まってゆく「モルゲンロート」は、大自然が織りなす驚異でしょう。季節ごとに移り変わる山の景色は、多くの人々を魅了し続けています。

8月12日

企業の暑さ対策

　チューリッヒ州には、チューリッヒ湖からポンプをつなぎ、湖水を巡回させて利用する冷風機が備えつけられている企業があります。湖の水が建物内の壁や床に設置されたポンプを通ることで、暑い夏のオフィス内を涼しく保ってくれるのだそうです。このシステムはスイス国内でよく使用されており、湖のそばにある企業にとってはきわめて一般的なこと。とはいえ、実際にそのオフィスで働いている人の話によると、あくまで扇風機の風に近いくらいの感覚で、エアコンのクールな涼しさとは異なるそうです。扇風機とは違って、すべてのポンプが壁や床の中に収められているため、オフィス内をすっきりと保てるのが利点だそうです。このようなシステムのない企業では、扇風機を使うのが一般的です。雇用主側の暑さ対策の義務として、社員の人数と社内の広さに応じ、必要数の扇風機を設置している会社もあります。

8月13日

水上警察

　チューリッヒには水上警察があります。一般の警察とは異なる仕組みで、水の事故が発生したときの人命救助や、港湾の安全維持など、チューリッヒ市と周辺エリアの水上で活動しています。水難事故の場合、専用ロボットを使用して、湖底を捜索することもあるそうです。チューリッヒ湖では一部地域を除き、ボートの速度制限がないため、事故が発生しないよう見守るのも仕事です。チューリッヒでお祭りや水辺の行事が行われるときに、水上警察をよく見かけます。催しの間、湖や川をボートで巡回し、警備に当たっています。水上警察官になるためには、特別実習訓練を受けること、チューリッヒ市警察に属する警察学校を卒業していること、パトカーの運転手として複数年の実務経験があることなどの条件を満たす必要があり、ダイビングのライセンスも必須だそうです。他の州でも、同等の水上部隊を設けている警察があります。

8月14日

音楽の授業がない!?

　地域により多少違いがありますが、スイスの小学校は夏の終わりの
8月下旬頃が新入学の時期です。小中学校では音楽の授業がないのが
一般的です。音楽を勉強したり、音感を養いたい場合は、通常の学校
とは別に、音楽専門の学校に通います。バイオリンやピアノ教室も人
気です。チューリッヒ州のある小学校は、音楽の授業を専門に受け持
つ先生が常駐する稀な学校です。1クラスには約20人の生徒がいて、
4人の先生が交代で1クラスを受け持っているのだそうです。通常、
先生は2人体制ですが、常勤の先生に加え、体育、家庭科、音楽の授
業を受け持つ先生達がいるのだとか。興味深いことに、学校（教育）
のシステムが、地域や各自治体によって異なり、春、夏、秋、冬、そ
れぞれの休みと、冬休みと春休みの間にあるスポーツ休暇などの学校
休暇も、州によって1週間早かったり、遅かったりします。

8月15日

ロカルノ映画祭

　「ロカルノ映画祭（Locarno Film Festival）」は、イタリア語圏の町ロカルノで開催されるフィルム・フェスティバルです。過去には日本の作品が、栄誉あるグランプリの「金豹賞（Golden Leopard）」や各部門賞などを受賞したこともあります。2週間の映画祭の期間中、町のあちらこちらで昼夜にわたり映画が上映され、観客数は約16万人にもなるのだとか。ジャーナリストや映画関係者など、約4,000人がロカルノに集まり、普段は静かな町全体が、巨大な映画館となります。メイン会場は町の中央広場「ピアッツァ・グランデ」で、1度に7,500人の観客が観賞できるヨーロッパ最大のビッグスクリーンが設置されます。ハリウッドスターやセレブなども、ゲストとして会場に登場します。ところで、ロカルノ映画祭のシンボルといえばヒョウ柄で、開催中はいたる場所にヒョウ柄が見られます。最高栄誉である作品賞が「金豹賞」だからだそうです。

138
/
365

8月16日

スイスドイツ語

　スイスでは4つの公用語 →7/365 があります。そのうちドイツ語圏で使用されるのは、一般的なドイツ語とは異なる「スイスドイツ語（Schweizerdeutsch）」です。ドイツ人や、同じくドイツ語を話すオーストリア人などからすると、スイスドイツ語はよく理解できないようです。アクセントが異なったり訛りが強かったりするだけでなく、1つ1つの単語が地域によって微妙に違うせいだとか。スイス人同士でも、「隣の町の人が話していることがよく理解できなかった」という笑い話が聞かれます。私はスイスに移住して最初の2年をバーゼルで過ごし、その後チューリッヒに転居しましたが、日常生活で使用する言い回しや単語にも、バーゼルとチューリッヒでは細かな違いがあることに気がつきました。小学校などの教育現場では、授業は標準ドイツ語（Hochdeutsch）で行い、授業が終わると先生もスイスドイツ語で生徒達と会話をするそうです。

8月17日

山岳救助隊 REGA

　「レガ（Rega）」は、遭難者や怪我人を救助するために出動するスイスの山岳救助隊です。国内14か所にヘリコプターの基地があり、出動要請を受けてから平均5分以内にヘリコプターを離陸させ、スイス国内のさまざまな場所に15分以内で到着できるよう、活動を行っています。会員約250万人の年会費や寄付で活動費用をまかなっており、Rega会員は緊急時に無料でサービスを受けられます。会費は成人1人につき年間40スイスフラン（約6,240円）。私も会員ですが、決して高くはなく、いざというときの「お守り」です。レガは山岳救助だけでなく、24時間体制であらゆるサービスを提供しているからです。例えば、海外旅行中でも、緊急時には医療コンサルタントの電話アドバイスを受けられることもあります。空飛ぶ集中治療室とも呼ばれる救急ジェット機で、国外にいる会員救助に向かうこともあります。山の遭難事故だけでなく、あらゆるところで頼りになるのです。

8月18日

セルフピッキングのお花畑

　チューリッヒ郊外には、青空の下に広々としたセルフピッキングのお花畑があります。日本で例えるなら、野菜や果物、その土地の特産品などが売られている無人販売所 →42/365 のようなイメージで、要するに自分で摘める無人のお花屋さんです。自分で花を摘むスタイルは、フルーツ狩りのような感じでもあります。季節ごとに花の種類が変わり、初夏から夏にかけては、薔薇、ガーベラ、グラジオラス、ひまわりなどが咲いています。ご丁寧に花の切り方や取り扱い方の注意書きもあり、花を切るハサミも準備されています。花の種類別に1本ごとの価格が記されているのですが、薔薇1本が約300円といったところで、お花屋さんで買うよりもリーズナブルです。花を摘んだ後は、設置されている箱に代金を入れて持ち帰るのですが、「無人」ですからチェックしてくれる人はいません。お互いの信頼関係で成り立つシステムです。

8月19日

リマト川 スイミング

　チューリッヒ市を流れるリマト川では、「リマト川 スイミング」が開催されます。通常はリマト川での遊泳は禁止です。そのため、この川で泳ぐことができる年に1度の特別な日を、人々は待ち望んでいます。この遊泳大会はチューリッヒ市の夏の風物詩ともいえる人気イベントなのです。参加するには事前にエントリーが必要ですが、4,500人分の泳ぐ権利のチケットは、発売と同時に完売となります。川の水温は21℃以上でなくてはならない、水高が一定の高さを超えてはいけないなどの条件を満たした上で開催されます。遊泳コースは、街中のバディ →94/365 をスタートし、次のバディまで約2km。歴史ある建物が並ぶ美しい街並みを眺めながら、のんびりと水の流れに身をまかせて、参加者用アメニティの浮き輪でぷかぷか浮きながら遊泳します。参加者がみんな笑顔で満ち足りた表情をしているのが印象的。家族や友人同士で参加する人もいて、楽しい夏の1日を過ごします。

8月20日

『アルプスの少女ハイジ』の村 マイエンフェルト

　名作アニメ『アルプスの少女ハイジ』の舞台となった「マイエンフェルト（Maienfeld）」は、チューリッヒから電車で1時間ちょっとで行ける、のどかな村（途中、サルガンスで乗り換えがあります）。博物館となっている「ハイジの家（Heididorf）」へは、駅からゆっくり歩いて30分です。田舎道には小さな花が咲き、牛や山羊の鳴き声が聞こえ、今にもハイジがどこかから駆け出してきそう。この地域は、良質なワインの生産でも知られていて、一帯にはブドウ畑が広がっています。途中「ハイジの泉」もあり、その周りはピクニックエリアになっています。ハイジの家は、築300年以上の古い家です。作者のヨハンナ・スピリは、ここに住んでいた人々やその生活様式からヒントを得て、ハイジの物語を書いたといわれています。山あいの道をさらに上った先にある「ハイジアルプ（Heidi's Alp Cottage）」では、ハイジが夏の間おじいさんと過ごした山小屋が再現されています。

8月21日

チューリッヒ・レーベン

チューリッヒ市では、市内とその近郊に住む外国人女性を対象に、「チューリッヒで暮らす」に焦点を当てた「チューリッヒ・レーベン (In Zürich leben)」を開催しています。レーベンはドイツ語で、人生、生活などの意味。新しい土地で暮らし始めた女性達がスムーズに住環境になじめるようにと、チューリッヒ市が25年以上にわたってさまざまな言語によるクラス（講座）を提供しています。クラスは年2回に分けて開催されます。週1回のペースで全15回。私は日本語クラスを受講しました。費用はチューリッヒ市在住かどうかで異なります。クラスでは、社会と多様性（注意すべきこと）、スイスの地理、歴史、チューリッヒ市について、州の政治、法律、行政にいたるまで、ありとあらゆることを学べます。ゴミ処理場や市議会の見学、旧市街の歴史散策など、屋外へ出かける授業も興味深く、ガイドブックには載っていないチューリッヒを知ることができました。

144
/
365

8月22日

ハイキングのシーズン

　初夏から初秋にかけて、ハイキングシーズンがピークを迎えます。美しいアルプスの山々に囲まれた国ですから、お天気の良い日には山に出かける人々が大勢います。スイスに住んでいてありがたいなと思うことの1つが、思い立ったら天気予報をチェックして、すぐに山へ行けること。登山鉄道やロープウェイ →287/365 などの交通手段も充実していますから、日帰りでも充分に楽しめます。数週間、山の避暑地に滞在して、ハイキング三昧の休暇を過ごす人もいます。ハイキングコースの難易度はいろいろですが、初級コースならばスニーカーで歩けるところもあります。目的地の方向や所要時間を記した標識が立っていますので、それに従って歩きます。分岐点にも必ず標識があります。山に別荘を所有している人も結構いて、冬はスキー、夏はハイキングと、同じ場所で長期休暇を過ごす人が多いのも「スイスあるある」です。

8月23日

ツークの旧市街

　多くの多国籍企業の本社がある「ツーク州（Kanton Zug）」、税率が非常に低いため、富裕層の住む場所としても有名です。インターナショナルスクールもあり、ドイツ語圏でありながら、英語での話し声もよく耳に入ってきます。モダンな建築の建物が並ぶ町の中心部から旧市街へ足を踏み入れると、そこには中世の世界にタイムスリップしたかのような、趣のある古い街並みが残っています。後期ゴシック様式の市庁舎、聖オズワルド教会、聖ミカエル教会、コリン広場にあるツークのシンボルの時計塔など、歴史的建造物が目を引き、古い建物を改築したレストランもあります。旧市街のあちらこちらには、古い噴水や水飲み場があります。中には少年が魚を抱えている飾りのある噴水も。海のないスイスにもかかわらず、魚の飾りが多いのが印象的ですが、湖で水揚げされた魚のマルクト（市場）が開かれていることが関連しているようです。

8月24日

ヴィクトリア・ユングフラウ・グランドホテル＆スパ

　ベルナーオーバーラント地方のインターラーケンにある、「ヴィクトリア・ユングフラウ・グランドホテル＆スパ（Victoria-Jungfrau Grand Hotel & Spa）」は、スイスを代表する5つ星ホテル。1865年創業の由緒あるホテルは、数年かけて大改装した後、豪華なスパも新たにバージョンアップして、リゾート感満載のホテルに生まれ変わりました。歴史ある建物の外観もさることながら、美しいインテリアで飾られた館内、客室の心地良さ、フレンドリーで礼儀正しい従業員の対応など、すべてが最高レベル。美しいユングフラウが眺められる部屋もあります。メインダイニングでは、地元生まれのエグゼクティブシェフが、ホテルの半径40km圏内から集めた季節の食材のみを使用したこだわりの料理を提供。ホテルご自慢のスパには、屋外にも大きなジャクジーがあり、露天風呂に浸かった気分にも！　夏のお天気の良い日の朝食は、花と緑に囲まれた美しいテラス席でいただきます。

8月25日

夏の定番 スイス料理

　肉食を好む人が多いお国柄のスイスで、家庭料理としても好まれているのが牛肉の煮込み料理「ジードフライッシュ（Siedfleisch）」です。レストランにもよくある定番メニューで、野菜や調味料と一緒にお肉を2時間ほどコトコトと煮込んで作ります。リブロースの部分を使用することが多く、スーパーのお肉売り場には、この料理用に牛肉がブロックで販売されています。じっくりと煮込んだ肉のスライスに、一緒に煮込んだ野菜を添えていただきます。時間をかけて煮込むので、肉がとても柔らかいのです。暑い夏の定番は、冷やしたジードフライッシュを薄くスライスしてサラダの上に乗せ、温かいレシュティをつけ合わせにいただくというもの。さっぱり系のフレンチドレッシングか、イタリアンドレッシングなどをかけます。お好みで、レシュティの上には目玉焼きをトッピングするのも人気です。

8月26日

チューリッヒ湖 横断水泳大会

　チューリッヒ湖では、毎年1万人近くが参加する横断水泳大会が開催されます。市民参加型の夏の大イベントです。参加者達は、湖畔にあるバディ →94/365 を出発して対岸のバディまで、約1.5kmを泳ぎます。事前にエントリーを済ませ、時間で分けたグループごとに、次々と出発。私は見学専門なので、湖岸でスイマー達の勇姿を見守ります。タイムは競いません。参加者が楽しみながら泳ぐことを目的とした大会です。湖上には救護ボートが待機していて、途中で休憩したくなったら、そこまで泳いでいって休むこともできます。速い人だと15分程度で対岸に泳ぎ着く人もいて、あっという間です。2023年の大会は、日中の気温28℃、水温23℃、快晴。以前、この水泳大会に参加した友人は、30分で対岸まで泳ぎきりました。最初のうちは湖水が少々冷たく感じたものの、泳いでいくうちに温かくなり、後半は熱いと感じたそうです。

8月27日

メレンゲ

　諸説あるうちのスイスで聞かれる一説ですが、卵白と砂糖を泡立てて焼いたメレンゲはスイスが発祥だといわれています。17世紀頃に、ベルン州の山あいの村「マイリンゲン（Meiringen）」で、イタリア人のお菓子職人が初めてこのお菓子を作ったのだとか。その後、ドイツやオーストリアにも広まったと伝えられています。現在ではスイス各地のお菓子屋さんやスーパーなどにあり、サイズが大きめなのが特徴です。デザートとして食べるのが一般的ですが、スイス国内でも地域により多少食べ方が違います。ドイツ語圏の町では、アイスクリームの上にメレンゲを乗せて、サクサクとほぐしながらアイスと一緒に食べたりします。懐かしさを覚える優しい甘さと、冷たいアイスクリームがよく合います。グリュイエール地方周辺のフランス語圏では、特産品でもあるダブルクリーム（少しかための脂肪分が高いクリーム）を添えた、ダブルクリーム＆メレンゲも好まれるそうです。

8月28日

キルビ

　移動式遊園地や露店が並ぶお祭りを、「キルビ（Chilbi）」と呼んでいます。初夏から秋にかけて、スイス各地で開催されます。チューリッヒ州でも夏の間、各町を数週間ごとに移動します。遊園地の規模は場所により多少異なりますが、年齢制限のある絶叫マシーンから、子ども達が楽しめる乗り物、観覧車まで登場するキルビもあります。観覧車はかなりの高さで、ゴンドラ部分が窓ガラスに覆われていない吹きさらしのものもあります。キルビの観覧車に乗って事故が発生したというニュースは聞いたことがないので、安全性に問題はないのでしょう。高い場所が苦手な私には怖すぎるかも !?　移動式なので、次の町へ行くときはすべて解体され、また新たに組み立てられます。キルビには焼きソーセージ →62/365 やラクレット →309/365、スイーツ、ストリートフードの屋台が並び、開催期間中は昼夜楽しめます。実りの秋には、収穫を祝う秋のキルビも各地で開催されます。

150
/
365

8月29日

森の中をお散歩

　チューリッヒ市内から車で約20分。チューリッヒ州の郊外にある自宅の周りには、豊かな自然がいっぱい。住宅街から続く坂道を上ると、木々の生い茂る森もあります。「森」というと、うっそうとした暗いイメージがありますが、実際に入ってみると、歩道が整備されていて、犬の散歩をする人や、日課のウォーキングをする人などに出会います。近くの小学校からは、先生に連れられた小学生達も課外授業でやってきます。「森の日」が設けられている小学校もあり、教師自身の考えや好みの影響もあるようですが、週に1度は森で授業をする先生もいるそうです。豊かな自然の森の中では、珍しい蝶々や野花などを見かけることもあります。ごく稀にですが、野生の鹿に遭遇することも！　陽が照りつける真夏の昼間でも、静寂に包まれた森の中は直射日光が遮られているのでひんやりと涼しく、ほっと息のつける場所です。

8月30日

氷河

　スイスには、冬はスキー、夏はハイキング →144/365 を楽しめる場所がたくさんあります。冬は雪に覆われて立ち入り禁止となる山道も、夏の間は絶景ハイキングコースに。ハイキングの途中には、信じられないくらい壮大な氷河を間近に眺められる場所もあります。ある夏の日、登山靴を履いて起伏のある岩場の多い山道を歩いてゆくと、思わず歓声を上げたくなるような氷河が目の前に広がっていました。氷河を前に、『アルプスの少女ハイジ』 →142/365 のアニメソングをスマホでかけて聴いていると、山の向こうからハイジが駆けてきそうな気がしました。そんな素晴らしい氷河ですが、実は地球温暖化の影響で深刻な危機にさらされています。専門家の調査によると、氷河を覆う雪の量が過去10年間で約30%以上も不足しているのだとか。温暖化が止められなければ、50〜100年後には氷河の大部分が消滅することが危惧されるという現実を抱えているのです。

8月31日

新学期前の横断歩道

　日本とはかなり違うなと感じるのが、信号機のない横断歩道で見かける車の運転です。歩行者が渡っているとき、または渡ろうとしているときには、ドライバーに停止義務があるのは日本も同じですが、スイスではほとんどの車が歩行者を見かけたら、必ずといって良いくらい停止します。停止してくれたドライバーに、軽く片手を挙げて「ありがとう」の仕草をするのがスイスでは一般的です。スイスの横断歩道の色はたいてい黄色です。チューリッヒ州の町では、子ども達の新学期が始まる日が近づくと、横断歩道の手前に、子どもの等身大の形のサインが置かれます。車を運転する人に対し、「子ども達が学校に戻りますよ。運転にはくれぐれも気をつけて」「横断歩道では必ず停まってください」という警告やサインの意味でもあります。国が違えば、横断歩道でのマナーや行動も異なるものですね。

9月1日

エーデルワイス航空

エーデルワイス航空は、スイス・インターナショナル・エアラインズ（SWISS）→33/365 の子会社です。もともとはスイスの大手旅行会社の子会社として、ヨーロッパの島々など、主にリゾート地へのチャーターフライトを運航していました。現在は、定期便やSWISSとの共同運航便の他、夏の休暇シーズンには、ギリシャ、イタリア、スペインなどのヨーロッパのリゾート地、アメリカ、メキシコ、カナダなどへも期間限定のフライトを運航しています。会社のロゴはもちろん、スイス国花のエーデルワイス。エーデルワイスの花が大きく描かれた赤と白の機体は、遠くから見てもインパクトがあり、ひときわ目立ちます。搭乗してみると、機内の備品やグラスの底にまでエーデルワイスの絵柄入り！　かわいいものばかりで、テンションが一気に上がります。機内ではアッペンツェルの伝統菓子ビバリ →330/365 が配られますが、こちらもエーデルワイスの絵が描かれた特別版です。

9月2日

キャンドル

　インテリアにこだわりを持つ人が多い印象のスイス。街のインテリアショップやスーパー、デパートのインテリアコーナーなどへ行くと、色とりどりのキャンドルが並んでいます。部屋の家具や雰囲気に合わせて、さまざまな色合いのキャンドルを置いて、部屋のアクセントに。映画のワンシーンのように、バスルームを暗くして、バスタブの周りに小さなキャンドルをいくつも並べて入浴をする人々が実際にいるのかどうかはわかりませんが、特別なイベントがないときでも、部屋の間接照明に灯りを点け、キャンドルを灯して食事を楽しんだり、くつろぎの時間を演出したりすることはよくあります。リラックス効果のあるアロマキャンドルも人気で、デパートに行けばフランスやイギリスなどのブランド品が購入できます。クリスマスシーズンが近づくと、美しいデコレーションのキャンドルも出回り、どれにしようかと、あれこれ選ぶのも楽しいひとときです。

9月3日

ゴルフ練習場

　スイスのゴルフレンジは、日本とは少々異なります。室内練習場は
あまりありません。よくあるのは、広々とした屋外のグリーンの上に、
打ちっぱなしやパターの練習場、バンカーなどが設けられているスタ
イルです。グリーンの上がとても広いので一見普通のゴルフ場にも見
えますが、プレー用のゴルフ場とは別で、あくまでも練習用の場所で
す。日本のようなナイター設備はなく、ネットは張られていないとこ
ろのほうが多いようです。チューリッヒ州にも、緑いっぱいの広大な
敷地の中にゴルフレンジがあり、すぐ近くには牛がまどろむ農場や野
鳥公園もあります。クラブハウスが設けられている練習場もあり、ゴ
ルフの練習をしない同行者は、テラスでティータイムを楽しんだりも
できます。放牧中の牛を遠くに見ながら、緑に囲まれた自然いっぱい
の中でのびのびとスイングできるゴルフ練習場は、ストレス解消にも
役立ちそうです。

9月4日

ラウターブルネン　シュタウプバッハ滝

　山の谷間に佇む村「ラウターブルネン（Lauterbrunnen）」は、ユングフラウ地方の観光の拠点となる場所です。アルプスの雄大な自然を眺めることができる村は、アニメ『アルプスの少女ハイジ』→142/365 のモデルにもなりました。村には70以上の滝があるそうですが、ひときわ目を引くのが、300メートルの高さから流れ落ちる「シュタウプバッハ滝（Staubbachfall）」です。そばに近づいて見上げると、豪快に流れ落ちる様子が圧巻。山の中腹まで登ると、滝を上から見下ろすことができます。細くて暗いトンネルと小さな洞窟を抜け、急な階段を上って進むと、水しぶきが吹きかかる滝の裏側へと辿り着きます。爆音を立てる滝は、降りしきるスコールの中にでもいるかのよう。豪快に落下する滝の隙間からのぞくと、ラウターブルネンの村が一望できました。滝の上まで登るのにはやや苦労しましたが、その甲斐あって、絶景が目の前に広がっていました。

9月5日

湖岸に広がるブドウ畑

　住まいのあるチューリッヒ州の町は、チューリッヒ湖右岸に面しています。地元の人々に「チューリッヒのゴールドコースト」と呼ばれるこのエリアは日照時間が他の地域よりも長いことなどから、スイスワインの生産が盛んです。高台にはなだらかなブドウ畑が続く風景が広がり、小さなワイナリーが点在しています。チューリッヒ湖右岸では、他の町でも、同じような光景が広がっています。品種によっても多少異なりますが、ブドウは8月下旬頃から収穫が始まります。これらの地域では、スイス国外では稀少な、白ワインを作るロイシュリング、リースリング、ピノ・グリ、赤ワインを作るピノ・ノワールなどが栽培されています。ブドウ畑の周りの遊歩道は誰もが自由に散策でき、地元住民達の散歩コースにもなっています。春は青々と茂るブドウの木々の葉を眺めながら、秋には収穫間近のブドウの実の成長を遠くからそっと見守りながら、収穫を心待ちに歩くのが楽しみです。

9月6日

意外な格差

　豊かなことで知られるスイスですが、経済的な格差を感じることも
あります。一例ですが、スイスの子ども達のお昼ごはんに、その一端
を垣間見ることも。一般の学校に通う子ども達は、お昼になるといっ
たん自宅に戻り、昼食を食べてからまた登校します。でも、両親が共
働きの家庭では自宅で昼食の準備ができないため、給食が提供されま
す。給食の子ども達は学校にあるランチルームで昼休みを過ごします。
そこで提供される給食の費用は、親の収入に応じて金額が変わるのだ
そうです。親の収入が高いほど、給食費も高くなります。通う学校や
自治体により多少金額に違いはありますが、私の知る限りで、1食が
8スイスフラン（約1,250円）ほど。20スイスフラン（約3,120円）
以上というご家庭もあります。日本の小学校の給食は1食200円台が
多いと聞きますから、スイスの給食はかなり高額です。20スイスフ
ラン以上というのは、さすがに高いのではないかと感じています。

160
/
365

9月7日

秋のとっておき

　9月に入ると、スーパーやマルクト →329/365 に並ぶフルーツの顔ぶれが変わります。メロンやさまざまな種類のベリーなどに加えて、ブドウが登場します。いろいろなブドウがあるのですが、ちょっと珍しいとっておきのブドウは「シャスラ（Chasselas）」です。シャスラといえば、スイスではワイン →321/365 に使用されるブドウの品種として知られています。ローザンヌからシオンの間、レマン湖一帯に広がる、世界文化遺産のラヴォー地区のブドウ畑 →187/365 では、シャスラが栽培されています。スイスとフランスの一部の限られた地域でだけ栽培されている、とても稀少な品種です。食用のフルーツとしても味わえるのですが、甘くておいしいので、デザートにも好まれます。スーパーで購入できるお手頃価格のスイスワインのおつまみに、同じくスーパーで購入できるシャスラのブドウとスイスチーズなんて組み合わせも、実はスイス生活での贅沢な楽しみなのです。

郵便はがき

１７０−８７９０

３３３

料金受取人払郵便

豊島局承認

4482

差出有効期間
2025年10月
31日まで

●上記期限まで
切手不要です。

東京都豊島区高田3-10-11

自由国民社

愛読者カード　係 行

住所	〒□□□−□□□□		都道府県		市郡（区）
			アパート・マンション等、名称・部屋番号もお書きください。		

氏名	フリガナ	電話	市外局番	市内局番	番号
			（	）	
		年齢		歳	

E-mail

どちらでお求めいただけましたか？

書店名　（　　　　　　　　　　　　　　　　　　　　　　　　　　）

インターネット　　1．アマゾン　　2．楽天　　3．bookfan
　　　　　　　　　4．自由国民社ホームページから
　　　　　　　　　5．その他　（　　　　　　　　　　　　　　　）

スイスの
素朴なのに
優雅な暮らし
365日

アルプスと森と湖に恵まれた
▲▲▲▲▲▲▲▲
小さな国の12か月
▲▲▲▲▲▲▲▲

ご購読いただき、
誠にありがとうございます。
皆さまのお声を
お寄せいただけたら幸いです。

●本書をどのようにしてお知りになりましたか。

☐新聞広告で（紙名：　　　　　　　　　　　　　　　　　新聞）

☐書店で実物を見て（書店名：　　　　　　　　　　　　　　　）

☐インターネット・SNSで（サイト名等：　　　　　　　　　　）

☐人にすすめられて

☐その他（　　　　　　　　　　　　　　　　　　　　　　）

●本書のご感想をお聞かせください。

※お客様のコメントを新聞広告等でご紹介してもよろしいでしょうか？
　（お名前は掲載いたしません）　　☐はい　　☐いいえ

8 | September

9月8日

ブリエンツ・ロートホルン鉄道

　1892年に開業した「ブリエンツ・ロートホルン鉄道（Brienz-Rothorn-Bahn）」は、伝統あるスイスアルプスの登山鉄道です。スイスで唯一、蒸気機関車で運行を継続している鉄道でもあります。ブリエンツ湖畔にレトロな雰囲気の駅舎があります。独特の音を立てながら、蒸気機関車が駅のホームに入ってくると、気分も上がります。蒸気機関車かディーゼル車が、かわいらしい赤い車体の客車を牽引し、約1時間かけて、ゆっくりと山の斜面を登ります。客車には窓ガラスがなくて開放的。キラキラと青く輝くブリエンツ湖を眼下に眺めながら、機関車はモクモクと煙を上げ、汽笛を響かせて、山を登ります。子どもはもちろん、大人も童心に返り大はしゃぎ。途中、緑に囲まれた木々の中を走り、トンネルをいくつも抜けて、山頂（2,262m）まで登ります。山頂から眺めるブリエンツ湖や、アルプスの山々の景色は、息を呑むほどの絶景です。

9月9日

チューリッヒの高級ティー シロッコ

　おいしい紅茶といえばイギリスのイメージがあるのですが、スイス
にも高級な紅茶として愛される「シロッコ（SIROCCO）」があります。
パッケージもエレガントなシロッコは、1908年、チューリッヒ郊外
の町でコーヒー焙煎（ばいせん）工場として設立されました。創業以来、選（え）りすぐ
りの原料を使用することに一切の妥協をせず、最高級のブレンドコー
ヒー、ピュアティーやブレンドティーなど、高品質の商品作りを続け
ています。チューリッヒ空港 →44/365 では、SWISS →33/365 の
ラウンジ、同航空会社の長距離路線のビジネスクラスなどでも提供さ
れています。個人的には、癒しのカモミール・ティー、爽やかなジャ
スミンティーなどが好みですが、最近ではヨーロッパでも人気のある
日本のお茶「Maccha」や「Sencha」も登場。デトックス・ティーな
ど、美容と健康を気遣うお茶の種類も豊富です。見た目もカラフルで
美しいシロッコのティーバッグは、お土産にも最適です。

10 | September

9月10日

エンガディン地方への山越え手段

エンガディン地方 →165/365 を旅するとき、アルプスの山越えの手段として、「カー・トランスポーター」があります。グラウビュンデン州のプレッティガウ（Prättigau）から、レーティッシュ鉄道に車ごと乗車してフェライナトンネル（Vereinatunnel）を抜けると、約20分でエンガディンへ。料金は少々高めですが、時間も短縮できますし、変わりやすい山の天候などを考慮すると、利用価値があります。アルプスの岩山を抜けるトンネルの中では、横揺れや縦揺れが大きくて、暗闇の中でシートベルトを着けたままでいると、まるでテーマパークのアトラクションに乗っているかのような気分にも。ついワクワクしてしまいそうなのですが、アルプスの山中にいることを忘れてはいけません。乗車中はラジオのチャンネルを指定された周波数に合わせるというルールがあり、非常時に備えてアナウンスが聞こえるようにしておかなければなりません。

9月11日

牛の牧下り

　9月中旬から下旬は、夏の間に山の牧場で過ごしていた牛達の牧下りのシーズン。山から一斉に降りてきた牛が飾りをつけ、村をパレードする行事「アルプアブツーク（Alpabzug）」（フランス語圏では「ラ・デザルプ（La désalpe）」）が行われます。エンガディン地方にあるツェレリーナ村のアルプアブツークを見学したときのこと。村の少年の合図で午後1時にパレードがスタート。最初はトラクターと音楽隊、続いて民族衣装 →347/365 の村人達がヨーデルを歌いながら行進してきます。踊りを披露する人々もいます。しばらくすると、飾りをつけた牛が牛飼いに連れられてやってきます。続いて飾りをつけていない牛が一斉に行進。300頭近い牛が山から下ってくる様子は圧巻です。カメラを向けると、人懐っこい表情で近づいてくる牛も。山から下った牛は、村のメインロードを行進し、緑いっぱいの牧草地へ。パレードの後は村人達の宴会がスタートし、さらに盛り上がります。

12 | September

165
/
365

9月12日

エンガディン地方の小さな村

　九州とほぼ同じ大きさのスイスには、4つの公用語 →7/365 があ
ります。例えば、サン・モリッツ →282/365 に隣接するエンガディ
ン地方の小さな村、ツェレリーナ村では、ほとんどの人々はドイツ語
を、次いでイタリア語、ロマンシュ語 →233/365 を話します。19世
紀半ばまで、村の人々はアッパーエンガディン・ロマンシュ語を話し
ていたそうです。村の中心部はのんびり歩いても1時間もあれば散策
できてしまいます。かわいい趣の家々が並んでいて、時間がゆったり
流れてゆくように感じられます。村には小さなスーパーが2軒ありま
すが、薬局はありません。薬が必要なときは車で10分ほど走ったと
ころにあるサン・モリッツまで行くのだそう。美しい川が流れる水辺
には、かつて洗濯場として使用されていた場所が残されています。写
真のように、今でも水は透き通っていて川底が見えるくらいきれいで
すから、昔はさらに美しい環境だったのでしょう。

9月13日

「ピッツォッケリ」という郷土料理

　グラウビュンデン州の南部一帯には、そば粉で作った「ピッツォッケリ（Pizzoccheri）」というパスタ料理があります。スイスとの国境に位置する北イタリアのロンバルディア州 ヴァルテッリーナ地方の郷土料理として知られていますが、国境が近いせいか、スイスでも広まったようです。高級リゾート地として有名なサン・モリッツ→282/365 の郷土料理店でも、ピッツォッケリがメニューにあります。そば生地をのばして、短冊型の太めのパスタに仕上げます。ソースにはポテトや地方色豊かな野菜、チーズが使用されますが、お店により多少レシピは異なるそうです。絡み合ったチーズとそば粉のパスタがナイスマッチで、なかなかの美味。この地域はイタリアとの国境も近いため、イタリアとスイスの雰囲気をうまく融合したレストランや建物も目立ちます。同じそば粉を使った麺類でも、日本のおそばとは作り方も食べ方もまったく違い、それがまたとても新鮮です。

9月14日

大掃除の季節

　スイスでは春と夏の終わりごろの年2回が、お掃除の季節です。1年の埃は年内のうちに落とそうという、日本のような年末大掃除の習慣はありません。クリスマスの前から年始までは、行事や来客なども多く、時間が取れないだけなのかも？　きれい好きな人が多いので、各家庭では季節にかかわらず常に掃除が行き届いて、家の中は一年中ピカピカ！という印象があります。9月に入るとスーパーでは毎年恒例のお掃除用品の割引ウィークがスタートします。夏の楽しい時間をたくさん過ごした屋外を念入りに掃除して、これから冬を迎える家の中も徹底的に大掃除。家族がくつろぐ部屋の掃除は、冬支度の始まりでもあります。暖かな春を迎える前には、今度は春のお掃除シーズンの到来です。アウトドアを愛する人が多いので、冬に雨雪にさらされた窓もきれいにし、庭やテラス、バルコニーの掃除も欠かしません。春の前には早々と夏に向けて、バーベキューセットも準備します。

15 | September

9月15日

ブリエンツ村

　深い青緑色に輝くブリエンツ湖畔にある、ベルン州の「ブリエンツ村（Brienz）」は、古くから木彫りの工芸品 →324/365 の里として知られています。北海道の鮭をくわえた木彫りの熊を見たことがあるでしょうか？　あの木彫りのルーツはブリエンツで、スイスの木彫りの熊を参考にして、大正時代に日本で始められたそうです。木工細工の工房や専門店などが並ぶ通りを、ショーウィンドウを眺めながら歩くのも楽しい時間。18世紀の古い町並みが残る小径「ブルンガッセ（Brunngasse）」は、過去にヨーロッパで最も美しい通り「Most Beautiful Street in Europe」に選ばれたこともあります。石畳が続く道には、古い民家も並んでいます。窓辺には美しい花が飾られ、玄関には個性的な装飾が施されている家もあります。訪れる旅行者に見られることを意識しているようです。この村に限らず、窓辺や玄関の見せる装飾は、スイスのあちこちで見ることができます。

9月16日

ミラベル

　秋が旬のフルーツに、「ミラベル（Mirabelle）」という名の、さくらんぼをちょっと大きくした感じのプラム（西洋スモモ）があります。熟れると薄いオレンジ色になりますが、熟れきっていないと、まるで青梅のようにも見えます。英語では「ミラベルプルーン」または「チェリープラム」とも呼ばれるそうです。ミラベルはフランスの季節のフルーツと認識されているようですが、スイスでも収穫されています。夏から秋へと移り変わるこの季節、ほんの短い期間にだけ、さまざまな種類のプラムと一緒にスーパーに並びます。緑がかった実は、見た目の印象よりもずっと甘い！　ビタミンやカリウムが豊富に含まれているので、栄養補助食品のフルーツとしても、おすすめです。同じ季節には、似たようなフルーツで少し酸味のある、「グリーンゲージ」という西洋スモモも見かけます。

9月17日

りんごジュース

　秋が深まると農家では、収穫したりんごでジュース作りが盛んになります。商業用の施設のあるファームなどでは、圧搾機を使用したりんごジュース作りの様子を目の前で見学できます。ジュース作りの過程はかなり豪快、かつ、いたってシンプル。りんご丸ごとを洗って専用の機械にかけ、粉々に砕き、それを濾せばできあがりです。搾りたてのりんごジュースは、バケツから大きな瓶に移されます。表示された料金を支払い、セルフサービスでコップに注いでその場で飲んだり、ペットボトルに入れて持ち帰ることもできます。フレッシュなりんごジュースは、自然の恵みの味がするようで、ほんのり甘くておいしいです。りんごジュースは年間を通して人気のドリンク。りんご果汁を炭酸水で割った「アプフェルショーレ（Apfelschorle）」は、シュワっとして喉越し爽快で、人気の飲み物です。アプフェルショーレは、スーパーやカフェなどでも、気軽に味わえます。

9月18日

セルベラ（ソーセージ）

　「国民的ソーセージ」と言っても過言ではないのが、「セルベラ（Cervela）」という燻製ソーセージです。スイス全土で生産・消費されています。見た目は短く太め。通常は牛肉とベーコンから作られますが、地域により多少原材料は異なります。スーパーでは2本1組のパックで販売されていることが多いです。町で見かける焼きソーセージ →62/365 のスタンドでもセルベラは人気。家庭で行うバーベキューにも、もちろん欠かせません。焼かなくても食べられるので、夏はあえて火を通さず、さっぱり系のサラダの具材として好む人も。薄皮をむいてスライスしたものを、細かくカットしたチーズやピクルスなどと混ぜ、ドレッシングかマヨネーズであえる「ヴルスト-ケーゼサラダ（Wurst-Käse Salat＝ソーセージとチーズ）」は、スイス人が愛するサラダの1つ。セルベラとチーズさえ入っていれば、他の具材はお好みで追加して、それぞれの家庭の味をいただきます。

172
/
365

9月19日

グリンデルワルト

　ベルナーオーバーラント地方にある「グリンデルワルト（Grindelwald）」は、ユングフラウヨッホ →124/365 やフィルストなど、ユングフラウ地方を観光するときの拠点ともなる、魅力的な村です。山あいに見える三角屋根のシャレースタイルの家々は、絵本の挿絵を見ているかのよう。村の中心からは、アイガー北壁やヴェッターホルンなどの壮大な山々が見えます。季節を問わず、朝、昼、晩と変わりゆく美しい風景には、いつ訪れても感激します。あまりにも山が近くて大きいので、写真を撮ろうとすると、アイガーがフレームに入りきらないなんてことも！　高山植物や花々を満喫できるシーズンは6月下旬から7月頃ですが、空気が澄み渡る9月頃は、絶好のハイキングシーズンです。夜は熱々のチーズフォンデュ →240/365 からクレット →309/365 を味わい、翌朝は早起きをしてアルプス地方の山の観光へ出かけるのが、1泊するときのお気に入りの過ごし方です。

20 | September

9月20日

スイスアルプス パノラマの道

　「メンリッヒェン（Männlichen）」（標高 2,342m）のロープウェイ駅（標高 2,230m）から、ユングフラウヨッホへ登る登山鉄道駅があるクライネ・シャイデックまでの約 4.6km の「パノラマの道（Panoramaweg）」は、アルプスの絶景を眺められるハイキングコースです。山歩きの初心者でも歩くことができます。メンリッヒェン駅を出発すると、アイガー、メンヒ、ユングフラウのスイスアルプス三連峰が目の前に迫ってきます。切り立った岩肌や、壮大な氷河も目にすることができます。時にはゴゴーッという音が遠くで鳴り響き、氷河が崩れ落ちる瞬間に遭遇することも。緩やかな下り道で、ベビーカーを押しながら歩く家族や、高齢者の姿もあります。すばしっこく岩の間を駆けるマーモットや、珍しい高山植物などもパノラマの道の見どころです。アイガー北壁が迫ってくる光景は、圧巻のひとこと。数か所あるビューポイントでは、360度全方位の大自然の景観を楽しめます。

9月21日

飾り用かぼちゃ

スイスで秋を感じさせるものの1つが、色とりどりのかぼちゃです。街を歩いていると、さまざまな形のかぼちゃに出会います。スーパーやマルクト →329/365 には、食用かぼちゃの他、飾りつけ専用のミニかぼちゃも並びます。1パック数個入りで販売されていることもあります。飾りつけ専用のかぼちゃは食べられませんが、正真正銘、本物のかぼちゃです。室内のインテリアや、テーブルのデコレーションなどに使用します。庭や玄関先の飾りつけには、大型の食用かぼちゃをディスプレイして、深まる秋を表現する家もあります。どれも独創的で、見ているだけでも飽きません。デパートや一般の商店、お花屋さんの店頭など、このシーズンはどこもかしこも、かぼちゃ、かぼちゃ、かぼちゃづくし。我が家もこの季節にはミニかぼちゃを飾って、部屋の中を秋らしくしています。

9月22日

アッペンツェル

　「アッペンツェル（Appenzell）」は、スイスで最も小さな州アッペンツェル・インナーローデン準州の州都で、人口約 7,000 人の小さな村。カラフルな色の建物が並び、古い街並みが残っています。ドイツとの国境に近いこともあり、国内外からの旅行者に人気で、アッペンツェラー・チーズの産地としても有名な場所です。村のお土産屋さんには、赤いジャケットと黄色いズボンの民族衣装をまとった牛飼いのモチーフが描かれた商品がたくさんあり、この地方らしさあふれる絵柄です。保守的なイメージのあるスイスですが、アッペンツェルでは 1991 年にようやく女性の選挙権（参政権）が認められました。直接民主制の伝統的なスタイルが今も継承されており、年に 1 度、法律改正の是非や州議員の選出などを挙手で投票するという、伝統的な青空議会「ランツゲマインデ」が開催される州としても知られています。ランツゲマインデが続いているのは、同州とグラールス州だけです。

9月23日

ランドヴァッサー橋

　「ランドヴァッサー橋（Landwasserviadukt）」は、グラウビュンデン州にある石造りの高架橋で、1901 〜 1903 年にかけて建設されました。世界遺産に登録されているレーティッシュ鉄道アルブラ線を通過する際、列車はスイスで最も有名な石橋を渡ります。氷河特急 →304/365 も、この橋を通過します。長さ 142m、高さ 65m の高架橋は、5 つの脚と半径 100m のカーブを描く美しいアーチが特徴です。橋の下から真上を走る列車を眺めたり、列車に乗って橋を渡ったりするのが、旅行者に大人気。フィリズールを出発した列車がトンネルを通過すると、間もなくランドヴァッサー橋へさしかかります。上からスリルある絶景を眺めながら、列車はゆっくりとした速度で、緩やかにカーブする石橋を進んでいきます。下を眺めると、足がすくみそうな高さ。橋の下のランドヴァッサー川沿いから橋を見上げた景色は、スイスファンだけでなく、世界中の鉄道マニア達を魅了しています。

9月24日

スローアップ・デイ

　乗用車を通行止めにして、「ゆっくり、のんびりと行こう！」をテーマに、slowUp（スローアップ・デイ）が開催されます。毎年9月の日曜日に行われるこのイベントは、2004年に始まって以来、年々参加者が増加中。2023年には約41,000人が、チューリッヒからラッパーズヴィル →82/365 周辺までのルートに参加しました。普段は交通量の多いチューリッヒ湖岸のメイン道路、約40kmの区間を、家族で自転車に乗って走ったり、ローラースケートで道路の真ん中を駆け抜けたりして楽しみます。スイスでよく見かける、赤ちゃんを乗せた専用バギーを引っ張って自転車で走る人の姿もあります。普段から、車の横をマウンテンバイクが走るのは見慣れた風景ですが、道路がこんなにも人と自転車でいっぱいになるのは、1年に1度、この日だけ。沿道には焼きソーセージ →62/365 などの軽食スタンドも出て、ちょっとしたお祭り気分。みんな笑顔で本当に楽しそうなのが印象的です。

9月25日

日曜日はお店がお休み

　日曜日は空港や主要駅などを除いて、基本的にはお店が休みです。日本のような、24時間365日営業しているコンビニエンスストアはありません。都市部や観光地では、カフェやお土産物屋さんは営業していることがあります。また、ガソリンスタンドに併設されたお店が開いていたりもしますが、飲み物やスナックなどを買える程度。ですから、土曜日のスーパーは非常に混み合います。過去に何度か、小売店の営業時間の自由化を求める国民投票 →109/365 が行われたことがありましたが、投票結果は反対派が大幅に上回り、否決となりました。日曜日には働く必要はなく、身体を休め、家族との時間や団欒を大切にすべきと考える人が多いのです。週末の買い物は、金曜日か土曜日に済ませればいいという感覚が多くの人々に根づいているようです。日曜日に開いているレストランなどでは、日曜日に働くことに否定的でない、外国人労働者の姿が多いです。

178
/
365

9月26日

レストラン「CLOUDS」

　「プライム・タワー（Prime Tower）」はチューリッヒ市の新開発エリア、トレンディスポットとしても知られるハードブリュッケにある高層ビルです。雲にまで届きそうな高さは、まさにプライム・タワーの名前にふさわしいといえそう。周辺には他に高い建物がないので、ひときわその存在が目立ちます。周りにはシアターやカフェ、ショップなどがあり、ビル内はオフィスとして使用されています。最上階の35階にある見晴らしのいい高級レストラン＆バー「CLOUDS」は大変な人気です。最上階へは1階の受付で予約名を告げてから専用エレベーターで。窓側のテーブルを確保できたら最高！　食事を楽しみながら、チューリッヒ湖や教会、時計塔、列車が走る様子など、市内を一望できます。海のないスイスで魚料理のメニューが揃っているのも魅力。リッチなメニューのお食事と、都会の夜を楽しむにはもってこいの場所です。バーも素敵なので、デートにもおすすめです。

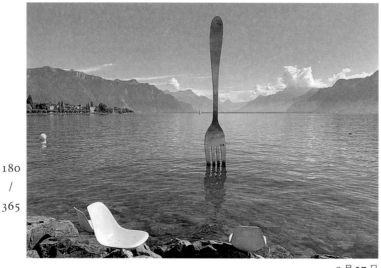

9月27日

レマン湖畔の町 ヴヴェイ

　「ヴヴェイ（Vevey）」はスイスとフランスにまたがるレマン湖 →108/365 に面した風光明媚な町です。美しいフレンチアルプスが目の前に広がる湖岸のプロムナードは、地元の人々や旅人達の憩いの場です。きれいに整備され、散策やジョギングはもちろん、ベンチに腰かけて目の前の絶景を楽しんでいる人の姿があります。チャーリー・チャプリンさんが晩年を過ごしたことでも知られており、チャプリンさんの記念碑があります。私がヴヴェイと聞いて真っ先に思い出すのが、レマン湖に突き刺さったように立つ、高さ8mもあるフォークの形をしたオブジェです。近くで見るとかなり大きく、ちょっと不思議でシュール。スイスらしい独創的なアートだとも感じます。スイス人の芸術家の作品で、ネスレ社が創設した食品博物館「アリマンタリウム」が所蔵しているそうです。湖の周りには、高級ホテルや別荘などが建ち並んでいます。

9月28日

レマン湖畔に建つラグジュアリーなホテル

フレンチアルプスを背景に、レマン湖畔に建つラグジュアリーな5つ星ホテルが「ホテル デ トロワ クーロンヌ ヴヴェイ (Hôtel des Trois Couronnes & Destination Spa)」です。かつて古城だった建物を土台として、1842年に建てられました。当時の円天井は、ホテルに併設されているスパに残されています。湖に面したテラスや客室からは、朝、昼、晩と移り変わる神秘的な湖の景色と、壮大なアルプスの景観が眺められます。昼間はフェリーが汽笛を鳴らしながら航行する様子も見えます。プールでひと泳ぎした後は、昼間からカクテル片手にデッキチェアーで日光浴をするのが、ヨーロピアンマダムの休暇の過ごし方。スパでマッサージを受けたり、ジャクジーに浸かってのんびりと過ごすのも、大人の休日です。夏季にはレストランの美しいテラス席で朝食を。夕食はレマン湖で獲れた魚、シェフご自慢の厳選素材で作られたお料理、そしてラヴォー地区のワインに舌鼓です。

182
/
365

高級時計の物語（その1）

　スイスといえば、高級時計のイメージが強いもの。チューリッヒの街の中心、バーンホフシュトラッセ →65/365 を歩くと、誰もが知っている数々の高級ブランド時計の看板が目にとまります。ブランド時計はほぼすべて、熟練した時計師の手によって完全手作業で作られるため、1つの時計が完成するまでには約3か月かかります。完成までに1年以上かかる時計もあるくらいです。特別ラグジュアリーな腕時計については、完全オーダー制。人気の腕時計の場合、順番待ちリストに登録後、3〜5年待つこともあるそうです。時計の価格は、数十万円から数千万円まであり、同じメーカーでも時計のタイプによってさまざまです。あるスイスの高級時計メーカーでは、時計師が作り方や修理方法を学ぶときは、まず「時計（Watch ではなく Clock）」の作り方を学ぶことから始めるのだとか。基礎からとことん学ぶという意図や姿勢がうかがえます。

9月30日

高級時計の物語（その2）

　近頃、高級時計市場においては、ジュエリー感覚で腕時計を身につける男性が増えました。「男性のためのジュエリー」という感覚で、高級時計を収集する人が増えています。といっても、誰もが高級時計に手が届くわけではありませんね。そんな中、注目を集めているのが新感覚のビジネス、レンタル腕時計です。利用方法はいたって簡単。専用サイトでプロフィールを作成後、身分証明書を提示し、承諾が下りればOK。希望の時計、ベルト、レンタル期間を選択し、登録したクレジットカードで月々の支払いをします。レンタル期間終了後は、返却してもいいですし、他の新しい時計を選んでもいいですし、気に入った時計をそのままレンタルし続けることもできます。多種多様な腕時計や新しいモデルを、レンタルで楽しみたいというニーズとうまくマッチしたようです。仕事の面接や大切な日に、腕時計でおしゃれをしたい男性には、うってつけのサービスかもしれません。

184 / 365

10月1日

ビアンコ メルロー

　一般的には、メルローの品種から造られるワインは赤ですが、世界でもスイスのティチーノ州でだけ、白いメルローを使用した「ビアンコ メルロー（Bianco di Merlot）」が生産されています。スイスのワインはほとんどが国内消費されることもあり、日本ではこの白いメルローの存在はあまり知られていないようです。日本に一時帰国して、ちょっと高級なレストランを利用したときにスイス在住であることを伝えると、ソムリエによくワインのことを尋ねられます。その際に、白いメルローの話をすると「初めてお聞きしました」という反応が多く、相手は興味津々です。ワインの専門家の間でさえ認知度が低い、稀少なワインです。珍しいだけではなく、おいしさも折り紙つき。フルーティで繊細な味わいは、食前酒としてはもちろんのこと、軽い前菜、魚料理やパスタにもよく合います。スイスでは 3,000 円前後で買えるので、お土産用にも喜んでもらえるワインです。

10月2日

ヴァーミセル

スイス人が大好きな秋のデザートが、「ヴァーミセル（Vermicelles／「ヴァルミセル」とも）」です。日本でもおなじみのモンブランに似たお菓子なのですが、名前の由来は、イタリアのクネクネしたパスタ、ヴェルミチェッリなのだとか。ヴァーミセルには栗100%のペーストを使用。ケーキのようなスポンジ部分がなくて、たっぷりの栗ペーストに生クリームを添えるのがオリジナルのスタイルです。栗ペーストが濃厚なので、甘さは意外と控えめでおいしいのです。レストランでも人気のデザートとして登場しますが、スーパーでも販売されています。最近ではタルトになったものや、スポンジ生地もついたケーキタイプ、カップに生クリームと栗のペーストだけがたっぷりつめられたものなど、さまざまな種類があります。市販の栗ペーストを使用して、ヴァーミセルを作る道具も販売されていて、家庭で気軽に作れる栗のデザートとしても親しまれています。

3 | Oktober

10月3日

遠足

　スイスの小学校では、遠足で森の中や、自然がいっぱいの場所に出かけることがよくあります。遠足は雨天でも決行されます。ある遠足の日、大雨が降っていたためとても屋外には出られないだろうと保護者が子どもと一緒に家にいたところ、先生から「どうして来ていないのですか？」と電話で連絡が入ったという話を知人から聞いたことがあります。他の子ども達は雨の中、集合場所に集まっていたのだそう。保護者もびっくりの体験だったとか！　遠足に出かけるときは、スイス名物のセルベラソーセージ →171/365 をお弁当用に持参します。子ども用のアーミーナイフ（遠足に持参します！）で枝を自分で切って、先生が森で火をおこし、木の枝に刺したソーセージを焚き火にかざして食べるのが子ども達のお楽しみ。家族でハイキングのときも同様で、焚き火で焼いて食べるソーセージの記憶は、スイス人なら誰もが持つ子どもの頃の思い出だそうです。

4 | Oktober

187
/
365

10月4日

ワイン街道をドライブ 世界遺産のラヴォー地区

　スイス・ヴォー州の丘陵一帯に広がるラヴォー地区のブドウ畑は、2007年にユネスコの世界文化遺産に登録されました。800ヘクタールを超えるブドウ栽培地区は、ローザンヌのオリンピック・ミュージアム →112/365 から、モントルーの東側にあるシヨン城まで、約32kmにわたって続きます。歩いたら、およそ8時間半もかかるそうです。旅行者には、小高い場所にあるブドウ畑と村々を通り抜けるワイン街道「ルート・コルニシェ（Route Corniche）」をドライブするのがおすすめです。どこまでも続く世界遺産の段々畑の風景は、フレンチアルプスとキラキラ青く輝くレマン湖を背景に、圧巻の美しさ。道路沿いには絶景スポットが続きます。なだらかな坂道に囲まれた村の家と家の間からも湖が一望できます。秋のブドウ収穫の最盛期には、いたるところにワイン造りに欠かせないブドウを搾取する機械が置かれており、ブドウの甘い香りが漂ってきます。

10月5日

チューリッヒ中央駅

　年間約1億5,500万人もの乗客が利用するチューリッヒ中央駅は、スイス最大の駅です。ドイツ、オーストリア、フランス、イタリアなど、10か国との行き来があり、毎日3,000本近くの列車が26か所のプラットホームから発着しています。プラットホームへのアクセスの利便性、国内外の列車乗り入れ数、駅の店舗の充実度などにおいて、国際的消費者保護団体の行った調査結果で、2022年のヨーロッパ内の駅ランキングでトップの座を獲得しています。2015年10月にリニューアルされたLEDの時刻表は、圧倒されそうな大きさ！　列車が到着するプラットホームの反対側にある大広場では、季節ごとに興味深いイベントが開催されるのも面白いところ。砂を敷きつめてビーチバレー大会が行われたり、サッカー場になったこともあります。クリスマスシーズンのマーケット →245/365 では、巨大クリスマスツリーが飾られて、小屋に見立てた店舗が並び、ひときわ賑わいます。

10月6日

トゥーン城

　ベルナーオーバーラント地方にある「トゥーン (Thun)」は、トゥーン湖畔にある絵本の世界から抜け出してきたような城下町。町の中心にはアーレ川が流れ、水辺に囲まれた美しい場所です。石畳の続く坂道を上った小高い丘の上には、12世紀に建てられたトゥーン城がそびえ建っています。スイス国内には数々の歴史あるお城が残っていますが、トゥーン城はてっぺんにある4本の円塔が印象的で、姿と形が美しいことでも知られています。円塔は展望台になっていて、そこからの眺めは絶景！　晴れた日にはトゥーン湖、その背後にはアイガーやメンヒ、ユングフラウなどのアルプスの山々を見渡すことができます。広い城内は博物館になっていて、地元で製造された古い陶器や武器、生活道具などが展示され、昔の生活様式が再現されています。トゥーンの町には16世紀に建築された大時計がシンボルの支庁舎もあり、城下には古い街並みが続きます。

10月7日

木製のおもちゃ

　木のおもちゃは、子ども達の創造性や独創性を豊かにしてくれます。大人でも楽しめる新感覚の作品も次々と生み出されており、こうした木製のおもちゃは、質の良いスイスのお土産や伝統工芸品などが見つかるお店、「Schweizer Heimatwerk」でも一部が販売されています。スイスのおもちゃメーカー「ネフ（Naef）」の動物の顔を作る木製のアニマルパズルは、サイコロ状になったパズルの6面にいろいろな柄が描かれています。子ども達のイメージで新しい動物を作ることもでき、大人でもちょっとワクワクするパズルです。1つ1つのパーツからは木の温もりが手に伝わってきて、触れているだけで心地良い気分になります。同社オリジナルのこの商品は、1979年に発売されて以来のロングセラーで、かれこれ40年以上もスイスだけでなく日本を含む世界中の子ども達に親しまれています。良いものを大切にし、次世代にも受け継ぐ——おもちゃにもスイスらしさを感じます。

10月8日

鹿肉の季節

　ジビエシーズンの到来！「ジビエ（gibier）」はフランス語で、ドイツ語では「ヴィルド（Wild）」といいます。町のレストランの前に「Wild」と書かれた看板が目立ってくるのもこの時期。鹿や野うさぎ、鴨、野鳩、猪などのメニューが登場し、2か月くらいは続きます。お肉を買って家で料理する人もいますが、特に鹿肉が人気です。スーパーのディスプレイにまるで本物のような雰囲気の鹿が登場し、ギョッとすることも！　温めるだけで家でも簡単に味わえる、レトルトの鹿肉のワイン煮込みも出回ります（鹿のレトルト食品は、スイスに来て初めて見ました！）。鹿には「Hirsch」と「Reh」の2種類がありますが、Hirsch は大きめの鹿（ヘラジカ）で、Reh は Hirsch よりも少し柔らかめの仔鹿。スイスでは、鹿肉は秋の間にだけ食べられるもの。そのため、ヴィルドのシーズンを心待ちにしている人も多く、「秋は鹿肉を味わうのが楽しみな季節」という声もよく聞かれます。

10月9日

山羊バターの軟膏

　新鮮な山羊のバターと各種ハーブオイルを調合して作られた山羊バターの軟膏（Ziegenbuttersalbe）は、関節痛や筋肉痛、肩こりや腰痛の緩和にも優れているとされ、密かに人気があります。関節リウマチなどの痛みにも効くそうです。血液循環を刺激するのに有益な、ローズマリーオイル、ジュニパーオイル、マウンテンパインオイルなどのエッセンシャルオイルと、新鮮な山羊のバターを調合して作られます。自然食品も取り扱う薬局などで販売されていますが、ある薬局では「売れています！」と書かれたポスターが貼られていました。山羊のバターは、スイスでは古くから民間療法で知られています。実際に使ってみたところ、蓋を開けるとハーブの香りが漂い、塗ると患部がポカポカしてきます。少し黄色みを帯びた半透明色で、動物的なにおいはありません。心なしか、痛みも和らいでいる気がして、肩こり解消のため、私もときどき使用しています。

10月10日

ベネディクト修道院

　スイスで最も有名なカトリックの巡礼地「アインジーデルン（Einsiedeln）」に、バロック様式の教会、ベネディクト修道院があります。町の起源は10世紀に修道院が建てられた頃にあるそうです。町のシンボルともいえる修道院の中には、彫刻やフレスコ画、色とりどりの大理石の装飾が施され、それは見事です。また、豪華な衣装をまとった「黒いマリア像」があることでも有名です。黒いマリア像は祭壇の中に静かに佇んでいます。黒くなった理由は、ロウソクやランプの煙が原因なのだそう。マリア像の衣装はなんと28枚もあり、年に10回交換されます。修道院の内部は写真撮影禁止のため、黒いマリア像の画像はありません。でも、外のお土産物屋さんではポストカードが販売されています。アインジーデルンは、中央スイスで最大規模のクリスマスマーケット →252/365 でも知られる町です。

10月11日

ベルニア急行

　アルプスの峠を越えてイタリアまで走る「ベルニア急行（Bernina Express）」は、氷河特急 →304/365 とともに大人気の列車です。130年以上の歴史がある「レーティッシュ鉄道（RhB）」により運行されています。クールからサン・モリッツ →282/365 まではアルブラ線、サン・モリッツからイタリアのティラーノまではベルニア線です。両線の一部は「レーティッシュ鉄道アルブラ線・ベルニア線と周辺の景観」として、ユネスコの世界遺産に登録されました。列車は、高さ65mのランドヴァッサー橋 →176/365 や、196か所の橋と55か所のトンネルを通過しながら走ります。4,000m級のアルプスの山々、壮大な氷河や輝く湖など、車窓から息を呑むような景色を楽しめます。スイス連邦鉄道175周年記念のイベントでは、100両の客車をつないだ全長1,910mあるレーティッシュ鉄道の列車がアルブラ線を走行。世界最長旅客列車の運行記録を樹立しました。

12 | Oktober

10月12日

リンデンホフの丘

　リンデンホフの丘は、チューリッヒにある小高い丘です。ドイツ語で「リンデン（Linden）」は「菩提樹」、「ホフ（Hof）」は「中庭」の意味。「菩提樹の中庭」という名前のとおり、ビルの7階相当の高さの菩提樹に囲まれた丘からは、チューリッヒ市内が見渡せます。南方にはグロスミュンスター →29/365、その向こうにはチューリッヒ湖、晴れた日には遠くにアルプスが眺められます。水飲み場のある噴水の上には、1292年にハプスブルク家と戦ったとされる女性兵士を讃える像が建っています。リンデンホフの丘は、韓国ドラマ『愛の不時着』にも登場した場所で、主人公と同じ場所でポーズをとって写真撮影をするカップルもいたり、いつも旅行者でいっぱい。丘の上では季節を問わず、地元の人々が大きな駒のチェスを真剣な表情でプレーしています。菩提樹の葉の隙間からさす木漏れ日が爽やか。季節の移り変わりを感じに、朝晩と散策したくなる場所です。

10月13日

スイス国立博物館

　スイスは数多くの美術館や博物館があることでも知られています。チューリッヒ市内にも、かつての富裕層がコレクションした著名な芸術家達の作品を展示する美術館や、モダンアートのギャラリー、歴史や生活様式を学べる博物館まで、さまざまな施設があります。チューリッヒ中央駅前に建つスイス国立博物館は、世界的にも有名で、各国からの旅行者もたくさん訪れます。展示品はもとより、19世紀に建築された建物が美しく、国の重要な遺産だと考えられています。2016年には、スイスの建築家、クリスト＆ガンテンバインによる新館も完成しました。スイスという国をよりよく知りたければ、歴史と文化の両方の展示が揃っている常設展示がおすすめです。不定期で開催される特別展示も興味をそそるものが多いので、事前に最新情報を入手しておくのが良いかも。日本のアニメ『アルプスの少女ハイジ』の特別展が開催されたこともありました。

14 | Oktober

197
/
365

10月14日

ラウンドアバウト

　スイスのみならずヨーロッパの道路でよく見るのが、信号のない環
状交差点「ラウンドアバウト」。近年は日本でも増えているそうです。
ラウンドアバウトは中央部に円形の島のようなスペースがあり、その
周囲を一方通行で車が走ります。交差点に入るタイミングには注意し
なければなりませんが、一時停止や信号待ちの必要がなく、交通事故
防止や渋滞を避けるのにもひと役買っています。スイスを訪れたら、
ラウンドアバウトの中央の部分にも注目してみてください。多くがア
ートスペースになっていて、とてもユニークです。その他、シンプル
に花壇になっているものもあれば、季節ごとに変わるオブジェなどで
飾られているものもあります。クリスマスが近づくと、本物の大きな
モミの木が登場することも！　きれいにデコレーションされたクリス
マスツリーを視界に捉えながら、ラウンドアバウトをぐるり旋回する
たびに、ちょっぴりウキウキした気分になります。

10月15日

国境を越えて日帰りでドイツへ

　スイスは、ドイツ、フランス、イタリア、オーストリア、リヒテン
シュタインの5つの国と国境を接しています。国土が九州とほぼ同じ
大きさなので、気軽に日帰りで隣国へ旅行もできます。私はときどき、
住んでいるチューリッヒ州の町から、ボーデン湖畔に佇むドイツのコン
スタンツへショッピングに出かけます。チューリッヒ中央駅からコン
スタンツまで、直通の電車に乗れば1時間15分〜1時間半。自宅
からは車で約1時間です。車で国境を通過するときは少しスピードを
緩めて走行しますが、電車でも車でもパスポートチェックは、まずあ
りません。ショッピングセンターの駐車場には、チューリッヒをはじ
め、スイスのナンバープレートをつけた車がいつもずらりと駐車され
ています。スイスよりずっと物価の安いドイツに魅力を感じ、みんな
日帰りでショッピングに出かけるようです。スイスではあまり見かけ
ないお店もあって、ちょっとした気晴らしにもなる日帰り旅行です。

10月16日

スイスの切り絵

　ドイツ語で「シェーレンシュニット（Scherenschnitt＝「ハサミで切る」という意味)」と呼ばれる切り絵細工は、古くから受け継がれる伝統工芸です。その歴史は中世まで遡り、19世紀初頭に人気が高まりました。主にアルプス地方で生活する人々の生活風景や動物達の姿が表現されています。例えば、木に登ってりんごの収穫をする人の傍らで山羊が戯れていたり、山の牧場から下りてくる牛の牧下り
→164/365 の様子など。のどかな情景が描かれており、左右対称にデザインされた作品が多いのも特徴です。1つ1つ手作業で作られる観賞用の切り絵作品は高価ですが、それとは別に、切り絵のモチーフが描かれたさまざまな生活用品も販売されています。こうしたものを通して、普段の生活の中で切り絵に触れることができます。スイスには会員約500人のスイス切り絵協会があり、そのうち300人以上が現役の切り絵作家として活躍中。後世にも伝統を伝え続けています。

10月17日

ブドウ畑を散策

　秋が深まると、チューリッヒ州の湖岸も紅葉シーズンを迎えます。湖岸に広がるブドウ畑では収穫も終わり、木々の葉は黄色に染まり、すっかり秋色に。ブドウ以外の木々の葉は黄色かオレンジ色に紅葉することが多く、日本のような真っ赤な秋はなかなか目にしません。近所のブドウ畑の遊歩道は、誰でも自由に散策できます。近隣の人々は皆、春から秋の収穫まで、ブドウの成長を見守りながらこの道を歩きます。新型コロナウイルス感染症のパンデミックが起きたとき、世界中の人々が自宅で過ごすことを余儀なくされました。それはこの町の人々も同じでした。どこにも行けない中、近所を散策することだけがみんなの楽しみでした。青い空の下、輝く湖を眺め、自然に触れながら散歩できるこの場所が、心を和ませてくれました。気温が下がり寒くなった後、数日間、暖かな秋晴れが続くことも多いのが10月。ブドウの木々の葉が落ちると、冬の訪れがぐっと近づきます。

18 | Oktober

201
/
365

10月18日

バレンベルク野外博物館

　ブリエンツ →168/365 郊外にあるバレンベルク野外博物館は、春から秋にかけて期間限定で開園する博物館です。広大な敷地内にスイス全土26州の各地から移築された、実際に使用されていた100軒の古民家がそのまま復元されています。昔ながらのパン焼きやチーズ作り、糸紡ぎ、機織り、カゴ編みなどの実演もあり、農家では家畜が放し飼いされたりして、昔の人々の文化や暮らし、生活風景が再現されます。さながら、歴史も勉強できるテーマパークのよう。木彫りの工房では、ベルン州の職人さんによる木彫細工の実演を見学しましたが、目の前で見る職人技に見とれてしまい、時間を忘れてしまいました。動物達に触れ合ったり、リアルに再現された集落の様子から歴史を学んだり、子ども達もとても楽しそう。持参したお弁当を食べられるスペースや、材料を持ち寄ってバーベキューできるスペースもあり、大人も子どもも学びながら、アウトドアのレジャーも楽しめる最高の施設です。

10月19日

オクトーバーフェスト

　チューリッヒ中央駅の秋の風物詩が、構内の広場に巨大テントを張って期間限定で開催される「オクトーバーフェスト（ZÜRI-WIESN）」です。オクトーバーフェストといえばドイツの印象が強いですが、スイスの一部地域でも開催されるようになりました。参加者のほとんどは民族衣装を着ていて、女性は胸元の大きく開いたちょっとセクシーでかわいい「ディアンドル」姿、男性は肩紐つきの革製のズボン「レーダーホーゼン」姿です。衣装はレンタルでも用意できます。テント内は本場ミュンヘンのオクトーバーフェストを訪れたかのような本格的な造りで、正面にステージが設けられています。人気バンドが出演する夜は、チケットがあっという間に完売です。ドイツの伝統音楽を聴きながら、白ソーセージをほおばり、ビールのジョッキを片手に大宴会。椅子の上に立ち上がってノリノリな人々や、テーブル脇で楽しそうにダンスを踊る人々の姿もあり、最高に盛り上がります。

10月20日

ラインの渡し舟

　バーゼルはライン川のほとりにある国際都市です。個人的なことですが、私はスイスに移住して最初の2年間をこの街で過ごしました。お天気の良い日には、ライン川沿いを散策したり、川べりでくつろぐ市民の姿があり、夏は川で泳ぐ人々で賑わいます。川を挟んだ両岸には橋が架かっています。対岸へ渡るときは、トラムに乗車するか、橋を歩くこともできますが、渡し舟も利用されています。岸からもう一方の岸にワイヤーケーブルが張られ、渡し舟についたロープがそのケーブルにつながれており、ライン川の水流だけで動くというちょっとユニークな仕組みです。船頭さんは乗船していますが、人力なしに舟が進んでいきます。乗船時に料金を支払えばいいので、予約は不要。大聖堂や美しい街並みを眺めながら、ほんの数分間で対岸へ到着します。気軽に利用できる市民の足としてはもちろん、旅行者にとっても、珍しい体験ができるのが、この渡し舟です。

10 月 21 日

秋の散歩道で

「天高く、馬肥ゆる秋」ということわざが聞こえてきそうな秋晴れの日には、季節を感じながら近くの散歩道を散策します。10月から11月にかけて、チューリッヒ湖畔の周りの景色も、木々の葉が黄色やオレンジがかった赤、オレンジ色へと変わり、驚くほど美しい紅葉シーズンを迎えます。2月頃から寒さが和らぎ、暖かく長い春が続いた年は、秋の木々の葉の色は特に鮮やかになるそうです。いつも散策する自宅近くの裏山と牧場の周辺も、葉が色づきます。近所の牧場の山羊達も、冬の訪れが近づく前の秋のポカポカ日和を一時たりとも逃したくないようで、夢中で草を食み、芝生の上で日向ぼっこを楽しんでいるようです。人間に慣れている牧場の山羊や羊、牛などは、カメラを向けるとこちらを向き、まるで「撮ってもいいよ〜」と語りかけてくれるように動きをいったん止めてくれます。カメラ目線になってくれるフォトジェニックな動物達に、思わず微笑んでしまいます。

22 | Oktober

10月22日

予防接種

　国内で推奨される予防接種がいくつかあるのですが、破傷風、肝炎などに加え、現在はマダニ（Zecken）の予防接種が強く促されています。以前は、チューリッヒ州も含め、森などが多い一定の地区だけがマダニ感染症の危険区域とされていました。2019年からはスイスのほぼ全域となる24州で、マダニの予防接種が推奨されています。近年ではチューリッヒ市内の公園など、町の中心地でも、マダニに刺された報告例があり、散歩中に刺された犬から人へ感染するケースもあるそうです。授業の一環として森へ出かけるなど屋外で過ごす機会が多い幼稚園児は、身長もまだ低く地面に近いこともあり、感染リスクが高いため、予防接種はとても重要とされています。加えて、風疹、麻疹、おたふく風邪の予防接種を受けることも推奨されています。クリニックでは大人と子どもの両方に注射手帳が発行され、いつ、どこで、何の接種を終えたか、記録されています。

10月23日

焼き栗

　秋から冬にかけて、栗がおいしい季節です。気温が下がって急激に冷えこむこの季節、チューリッヒの街のあちらこちらには、焼き栗「ハイシーマローニ（Heisse Marroni）」のスタンドが並びます。焼きたての栗は、冬の風物詩ともいえます。どのスタンドも同じに見えますが、地元の人々の間には「ここがおいしい！」というひいきや行きつけのスタンドがあるのです。購入は、100gから量り売りで、チューリッヒでの価格は100gにつき3スイスフラン（約470円）くらいから。100gで8〜10個くらいの焼きたての栗が入っていて、1人で食べるときはこれで十分です。栗の皮には切り目が入れられているので、きれいにはがして食べやすいのもいいところ。すぐにその場で食べたり、中には歩きながら食べる人もいるので、この気遣いは魅力的です。焼き栗のスタンドは冬が終わる頃まで営業していて、寒い冬のひとときを温めてくれます。

10月24日

ニベアクリームのスイス限定缶

　世界中でおなじみの化粧品ブランド、ニベア（NIVEA）。同社の110周年の創立（2021年当時）を記念して、誰もがよく知るニベアクリームの青い缶に、一般公募から選ばれたデザインが描かれた限定品が発売されました。ロングセラーのニベアのクリームは、1911年にドイツで誕生した化粧品ブランドですが、何世代にもわたって愛用する人もいるほど、スイスでも人気です。デザインの選考にあたっては、スイスらしさを視覚的に表現する新しい感覚が求められたそう。そのため、必ずしも国旗 →35/365 やマッターホルン →133/365 など、スイスを象徴する典型的な要素にこだわる必要はなかったのだとか。確かに厳選されたデザインは、国旗が描かれていなくても、スイスらしさが伝わってくるモチーフにあふれており、とてもかわいらしいものです。スーパーで気軽に手に入るのも魅力でした。

10月25日

マギー・ヴルツェ

　スイス人が好む、食卓に欠かせない調味料 →340/365 がいくつか
あります。そのうちの1つが、万能調味料「マギー・ヴルツェ（Maggi-
Würze）」です。19世紀後半に誕生して以来、隠し味としても重宝さ
れる、伝統的な液体調味料です。味わいはちょっとお醤油にも似てい
て、料理に塩味と風味をプラスしてくれます。田舎の食堂や、山の観
光地にあるレストランでは、テーブルの上によく置かれています。ス
イス人は、スープやサラダのドレッシングにヴルツェをよく加えます。
パスタ料理、オムレツ、薄切り肉料理、野菜などによく合うとされて
いますが、ドイツ語圏では「マギブロ（Maggibrot）」という言葉を
耳にすることも。これは、パン（Brot）にマギー・ヴルツェをふりか
けるだけという、いたってシンプルな食べ方のことだそう！　人々が
いかにこの調味料を愛しているかを物語っています。他の食品会社か
らも「○○-Würze」と名づけられた、似たような商品が出ています。

10月26日

ビクトリノックスの家庭用ナイフ

　「ビクトリノックス（VICTORINOX）」といえば、「スイス・アーミーナイフ」でその名が知られています。スイス軍隊が使用している他、山歩きやキャンプなど、屋外で使うイメージがありますが、家庭用ナイフの愛用者も大勢います。かくいう私も、その１人です！　家庭用の小型ナイフを毎日の料理に使用しています。コンパクトだけど、とてもよく切れます。刃がギザギザになっているので、野菜の皮むき、柔らかいフルーツやトマトも潰れずにカットできます。料理中には何本も用意しておいて、使用する食材ごとに取り替えることも。食洗機で洗えますし、錆びません。旅先のホテルの部屋でフルーツを食べたりするときにも便利なので、航空会社に預けるスーツケースの中にも、この小型ナイフを忘れずに１本入れておきます（機内持ち込みはできません）。大きめのスーパーでも購入できて、意外と安価なのも魅力。日本へのお土産としても好評です。

10月27日

冬時間

10月最終週の日曜（土曜の深夜）から夏時間が終了し、冬時間へ移行します。時間の切り替えは、夏になる前と、冬になる前、年に2回行われますが、冬時間へ移行するときは、なんとなく気持ちが引き締まるもの。長く続くであろう冬の到来を、ひたひたと感じるからなのかもしれません。冬時間になると、日本とスイスの時差は8時間です。例えば、日本が午後6時のとき、スイスは同日の午前10時です。日曜の朝に起床すると、時計を1時間戻すことになります。「うっかりして時刻を間違えた！」なんて話も以前は耳にしましたが、スマートフォンが自動的に切り替えてくれるので、最近はそんなトラブルも減っているようです。冬時間と夏時間の切り替えを、2021年の夏時間から廃止する提案もありましたが、「今までどおりでいい」という声が圧倒的に多く、夏時間の廃止は見送られました。3月最終週の日曜（土曜の深夜）に夏時間に切り替わるまで、長い冬が続きます。

10月28日

肌ケア

　スイスの人々は洗顔後、化粧水を使わないのが一般的なようです。
日本の化粧品メーカーや、外資の化粧品会社もスイスに進出している
ので、デパートの売り場に行けば、化粧水も見つかりはしますが、種
類は少なめ。年間通して乾燥しがちな気候なのに不思議な気がして、
以前スイス人女性に肌のケアについて尋ねてみました。すると「顔を
洗った後は、クリームをつけて終わり」という答えが返ってきました。
まあ、それがすべてではないと思いますが、言われてみればクリーム
の種類は多い気がします。クリームで保湿が足りないときは、オイル
で保湿強化をするそうです。化粧水よりもさらに種類が少ないのが、
洗顔用の石鹸。私は敏感肌のため、若い頃から決まった化粧品が欠か
せないのですが、基礎化粧品全般は日本のものを使用しています。
1度洗顔クリームを切らしたことがあり、あちこちのお店を探しまし
たが、なかなか見つからずに困った記憶があります。

10月29日

きのこ狩り

　秋には、森へきのこ狩りに出かける人々がいます。郊外の道路を車で走っていると、きのこ狩りらしき人々が森の中へと入って行く様子を見かけることがあり、秋の深まりを感じます。町のお店では、きのこを見つけるための本（『森の中へ〜きのこ探し』と題した、きのこの見つけ方のノウハウを記したもの）や、きのこ狩り関連グッズも販売されています。スーパーには、オレンジや黄色など、カラフルな旬のきのこも目立ちます。家族行事として、きのこ狩りに出かける人もいるくらいです。友人のスイス人の旦那様は、子どもの頃からきのこ狩りに慣れているそうで、食べられるきのことそうでないきのこの見分けがつくそうです。子どもの頃に経験した森の中の課外授業→151/365 が、大いに役立っているのかも。家族とともに過ごす、自然豊かな秋の習慣は、親から子へと世代ごとに受け継がれてゆくのでしょう。

10月30日

ギースバッハ滝

　ブリエンツ湖畔にあるギースバッハには、1873年創業の「グランドホテル・ギースバッハ（Grandhotel Giessbach）」があります。花に囲まれたイングリッシュガーデンとテラスの美しい場所です。ホテルからは青く澄み渡るブリエンツ湖と、反対側には、轟々と力強い音を立てて流れ落ちるギースバッハ滝が見渡せます。ホテルの前にある整備された緩やかな山道を登ると、水しぶきを上げる滝が見えてきます。マイナスイオンもいっぱいで、森の空気が澄み渡っているのを感じます。爆音を立てる滝の裏側の橋を通り、反対側の小径へ抜けるのが一般的な見学コース。滝の裏側の橋を散策できるなんて、なかなかできない経験です。迫力も満点ですし、滝裏から眺めるグランドホテル・ギースバッハの姿も美しい！　滝の水は山中で14層の滝となって、ブリエンツ湖へと流れていきます。春は、山から流れ出る雪解け水で水量が増すので、滝の印象はさらに豪快です。

214
/
365

10月31日

ハロウィンと蕪のランプ祭り

　10年ほど前まで、スイスではハロウィンという行事をさほど意識していなかったように記憶しています。けれどもここ数年は、ハロウィンが近づくと、町のお店には独特の装飾がされ、スーパーにもハロウィングッズが並ぶようになりました。ハロウィンといえば、仮装して、手にはかぼちゃのランタンを持った子ども達の姿を思い浮かべるのですが、最近よく見かけるのが、ランタンを制作するためのカービングキット。大小さまざまなかぼちゃを彫って、ランタンを手作りするための道具です。ハロウィンが終わると一部の地域では、「レーベリエヒトリ（Räbeliechtli）」という、蕪のランプ祭りが行われます。大きな蕪をくり抜いて穴を開け、その中にキャンドルを入れた独特なランプを手に暗闇の中をパレードする、主にドイツ語圏で100年以上続いている子ども達が主役になる夜の伝統行事です。中でもチューリッヒ近郊の町 リヒターズヴィルで開催されるものが有名です。

11月1日

ピラトゥス

　中央スイスにある「ピラトゥス（Pilatus）」（標高約2,100m）は、ハイキングを楽しむのに人気の山。数々の伝説があるこの山には、竜が住んでいたという説も。山頂へは、麓の町アルプナハシュタットから最大傾斜48度という急勾配の登山鉄道に乗車するか、山の北側からロープウェイを利用して登ることもできます。山頂のピラトゥスクルムでは、思わず「すごい！」と声が出てしまうほどのアルプスの絶景が広がります。高山に住むキバシカラスがすぐそばまで近づいてくることも。さらに上の展望台からは、ぐるりと360度の景観が見渡せ、アルプスの大パノラマと、フィアヴァルトシュテッテ湖の美しさに息を呑みます。山の洞窟を抜ければ、もう1つの山頂へ。洞窟の中は意外と広く、ところどころにある小窓から湖を眺められます。くねくねと曲がった薄暗い通路を進むと、反対側にも絶景が広がり、周りにある高い岩山を登る登山者達の姿も見えます。

11月2日

トブラローネチョコレートにまつわるお話

スイスのチョコレート「トブラローネ（TOBLERONE）」のパッケージから、マッターホルン →133/365 が消えました。100年以上、観光客にも地元の人々にも愛され続けている人気チョコレートなのですが、生産拡大のため、生産の一部が国外に移されたのがその理由です。商品やサービスがスイス製と表示されるためには、一定の条件を満たさなければなりません。「スイスらしさ法」にも関連しているのですが、「食品の場合は原材料の少なくとも80%がスイス産であること」「牛乳や乳製品の場合は100%がスイスの原料を用い、基本的な生産手順がスイスで行われる必要があること」というのがスイス製の定義なのだそう。トブラローネは法律によりスイス製とはみなされなくなったため、国のシンボルであるマッターホルンをデザインに使えなくなったのです。現在のトブラローネには、使用してもOKな近代化された山が描かれていて、少し残念な気もします。

11月3日

秋のリース

　11月に入ると一気に冷え込みが厳しくなり、朝晩の気温が 10℃前後のことも多くなります。冬が近づいていることを肌で感じる季節です。マルクト　→329/365　には、秋の実りのかぼちゃや栗の他、少し早めのクリスマスにちなんだ商品が並び始めます。マルクトのお花屋さんでは、季節の花々とともに、素敵な雰囲気の秋のドライフラワーのリースに魅了されます。クリスマスまで飾れる鮮やかな色合いのものも目立ちます。色とりどりのリースを吟味していると、傍らでスイス人らしきマダム達が、赤系1色のリースの値段を尋ね、次々と購入していきます。その様子を見ていると、スイスの人々は本当に真っ赤に近い赤を好むのだなと感じます。花のみならず、さまざまな商品の色のバリエーションから気づいてはいましたが、いろいろな色のミックスよりも、単色を好む人が多いようです。特に、鮮やかな赤い木の実を使用したリースは、スイス人好みなのでしょう。

218 / 365

11月4日

ベルンの噴水

　首都ベルンの街には100近い数の噴水があります。噴水の建設は16世紀から始まりました。中でも旧市街にある11か所の噴水が有名です。それぞれの噴水（上部）の装飾には工夫が凝らされていて、スイスの英雄達や伝説の人物で飾られています。ベルンの始まりに関連した実在の人物や、よくない行いをした子ども達を罰するためにクリスマスシーズンになるとやって来るという、ちょっと怖くてユニークな鬼の装飾の噴水もあります。街の中心のマルクト通りにある「射手の泉（銃士の泉）」は、兵士の足元に、銃を構えた小熊がいるのが印象的です。噴水の下部は今も飲料水が流れているので、歩いている途中にさっと立ち寄って喉を潤す人や、噴水の縁に腰掛けてひと休みする人々もいて、まるで『アルプスの少女ハイジ』の一場面を見ているようです。14世紀頃にはこれらの噴水を、人や馬が飲料水として利用し始めたそうです。

11月5日

カンブリーのビスケット

　「カンブリー（Kambly）」は、1910年にエメンタール地方で創業されたお菓子メーカーです。100年以上にわたり、スイスを代表するお菓子ブランドとしての座を守り続けています。創業者の祖母が家族のために手作りしていたビスケットのおいしさが村で評判となり、それが近隣の谷へと広がり、瞬く間にスイス全土で販売されるようになったのだとか。おばあちゃんの味を4代にわたり受け継ぐ郷土愛がいっぱいつまったビスケットには、看板商品の「ブレッツェリ」、口に入れると優しい甘さが広がる世界で最も薄いペストリーの「バターフライ」など、それぞれに名前がついています。スーパーでよく見るカンブリーの商品には、手軽な箱入りから、お土産用にも喜んでもらえるスイスらしいデザイン缶入りのものもあります。家族で代々守り続ける秘伝レシピのおいしいビスケット。ぜひ味わっていただきたい、素朴でどこか懐かしい味わいのお菓子です。

11月6日

カーテンは不要？

　スイスで生活を始めて間もない頃、住宅地の家の窓にカーテンがついていないか、カーテンはあっても閉め切っていないことが多くて、室内が丸見え状態の家が多いことに驚かされました。冬の夕刻は暗くなる時間も早くなるため、郊外で道を歩いていると、明々と灯りが灯された家の前を通り過ぎることがあります。外から家の中が丸見えの状態にしている理由は、2つあるのだとか。1つは「まったくやましいことはありません。家の中を見られて困ることはありません。遠慮なく私の家を見てください」と人々が考えているから。もう1つは、カーテンをつけていないほうがインテリアが引き立つから。ただし、プライバシーを重んじる人が多い国なので、他人の家の中を外からのぞき込むような人はいません。私も暗がりの中で灯りの漏れる窓が近づくと、家の中を見ないよう、目を逸らして歩くようにしています。

11月7日

体調管理が難しい

　紅葉した木々の葉はあっという間に散ってしまい、冬の足音が聞こえてきそうな 11 月。気温の変化が大きなこの時期は、体調管理が難しい季節です。冬時間 →210/365 に移行した後は日が短くなり、朝晩の冷え込みも厳しく感じられます。秋の休暇シーズンも終わり、疲れが出るのもこの頃。落ち葉を眺めているだけで、なんとなく喪失感を感じるという人の声も聞きます。風邪を引いたり、胃腸炎を起こしたり、体調不良を訴えて学校や勤務先を休む人が増えるのですが、スイスでは病欠は有給休暇の消化にはなりませんから、無理せずに仕事を休んで、療養しようという人もいるわけです。精神的に滅入ってしまう人が多く出るのも 11 月だといわれています。クリスマスムードが漂い、心が華やいでくるまでの間が辛抱のとき。小春日和の日には、なるべく太陽の光を浴びて散策したり、友人や家族と語らったり、気晴らしをしながら、クリスマスシーズンを待ちわびます。

11月8日

ケーゼシュニッテのレシピ

スイスのチーズトースト。週末のブランチや、ちょっと小腹が空いたときに簡単に作れます。

[材料]（2人分）
フランスパン（バゲット）：数切れ
チーズ：グリュイエールチーズまたはラクレットチーズなど
白ワイン：大さじ1～2（お好みの量。多めにかけたほうがおいしい）
ハム、オニオン、トマトのスライス
粗挽きブラックペッパー：少々

[作り方]
1. 大きめの耐熱容器にオーブン用シートを敷き、パンを乗せる。
2. パンに白ワインをふりかけ、ハム、チーズ、オニオン、トマトのスライスを乗せ、ブラックペッパーをふる。
3. 200℃に温めたオーブンで15分ほど焼く。
   焼き時間はオーブンにより、調整する。最初から個別の耐熱皿に入れて焼いても
   OK。

11月9日

倹約家

　20年近く前、バーゼルに住むスイス人の友人宅に招待されたとき
のお話です。季節は冬、ちょうどクリスマスの前でした。お宅は一戸
建ての豪邸で、その大きな建物は集合住宅なのかと思えるようなもの
でした。建物すべてが友人の自宅と知り、とても驚いたものです。そ
のお宅でいただいたのは、ハム →273/365 をパックごと温めて切り
分けたものと、自宅のお庭で栽培されたジャガイモ。スイスに住み始
めて間もない頃の私には、その夕食は少々質素にも思えるものでした。
このエピソードからもわかるように、たとえリッチでも、見栄を張ら
ないのがバーゼルの人々の美徳であり、特徴でもあります。招待して
くださった家の奥様の話によると、一番お金をかけたいのは、家の手
入れとインテリア、そして年2回の長期休暇とのこと。休暇を大切な
ものの上位に考えるのも、スイス人の特徴の1つなのだと、スイスに
住んで20年近くが経った今は、理解できるようになりました。

11月10日

ノイマルクト

　ときどき、ぶらりと歩いてみたくなるのがチューリッヒの旧市街、歴史的地区にある「ノイマルクト（Neumarkt）」です。狭い路地を通り、石畳の上を歩いていると、のんびりとした気持ちになれます。ノイマルクトには、カラフルな色の壁が目を引く家々や、しゃれたショップが軒を連ねています。ギャラリーや地元アーティストの雑貨屋さん、こぢんまりしたカフェやレストラン、ぬいぐるみ屋さん、編み物用品の専門店、世界のガイドブック専門店など。中には、映画のワンシーンに登場しそうなお店も。大通りにはない顔ぶれに、ちょっと懐かしいような、ノスタルジックな気分を駆り立てられて、つい足が止まります。美しい花が浮かんだボトルを見つけたのですが、ハンドソープと思い込んでいたら、実は、100％スイスメイドの食器用洗剤でした。ノイマルクトでは、意外なもの、一点もの、ずっと手元に置いておきたくなるかわいいものが、きっと見つかります。

11月11日

ナショナル・フューチャー・デー

　「ナショナル・フューチャー・デー（Nationaler Zukunftstag）」は、子ども達が大人の仕事場を訪れて、職業体験ができる日です。将来、社会に貢献できるようにすることを目的とし、小学校の課外授業の一環として、年に1度開催されています。高学年の子ども達は、自分達が希望したさまざまな職場を訪問します。丸1日職業体験ができるちょっとユニークなこのプロジェクトは、スイス各州と教育機関の支援により実現しています。例えば、タトゥー・スタジオでは、経営者の管理下でタトゥー →116/365 の施術を、お菓子屋さんではチョコレートの販売を、スーパーでは制服を着て店員さんを体験するなど。それまで知らなかった新しい体験をすることが貴重な人生経験となり、将来職業を選択するときの視野も広がるというわけです。ちょっぴり大人の世界を体験した子ども達が、未来の可能性を広げることになる、貴重な1日です。

11月12日

豊かな水源

　スイスは豊かな水源を持つ、水に恵まれた国です。国土の約4%を湖と河川が占めています。約1,500の湖があり、河川は距離にすると、61,000kmにも及ぶそうです。ヨーロッパ各地の川にアルプスからの雪解け水が流れ落ち、ヨーロッパの飲み水の一部はスイスを水源としています。湖は最終氷期（一番新しい氷期）に形成された当時の氷河です。最も大きな湖は、スイスとフランスの国境にあるレマン湖。スイス国内最大の湖は、西部のヌーシャテル湖。中部にはチューリッヒ湖やボーデン湖、アルプス山脈の北側にはトゥーン湖、ブリエンツ湖、ツーク湖、フィアヴァルトシュテッテ湖など。南側にはルガーノ湖やマッジョーレ湖があり、アルプスを中心に、湖の名前が次々と浮かんできます。その他、大小さまざまな自然湖や、人口の貯水湖などが各地に点在しています。国内の水力発電の割合は60%とされ、水はとても重要なエネルギー源でもあります。

11月13日

ツォイクハウスケラー

　「ツォイクハウスケラー（Restaurant Zeughauskeller）」は、ガイドブックにもよく掲載されている、チューリッヒの観光名所にもなっているレストランです。1487年に建てられた建物は500年以上の歴史があり、かつては武器庫（兵器庫）として利用されていました。中世のスイスでは、戦いの時代が続いていたため、ここで武器や軍需品が保管され、修理されていたそうです。英雄ウィリアム・テルの弓（クロスボウ）も、ここに保管されていたという伝説もあります。昔使用された武器は、現在はお店に飾られています。チューリッヒをはじめとするスイス各地の郷土料理がおいしいと評判で、地元の人々にも愛されています。金融街が近いこともあり、お昼時には近所のオフィスで働くビジネスマン達の姿もあります。仔牛肉の薄切りをクリーム煮にした、チューリッヒの郷土料理 ゲシュネッツェルテス →25/365がおすすめ。各種揃ったお店の名物ソーセージ料理も人気です。

228
/
365

11月14日

交通ルール

日本とは異なった交通ルールをご紹介します。

- 免許証の更新──車の運転免許証は1度取得すると更新がありません。75歳以上のドライバーは2年ごとに、交通医療専門医による適正検査が必要となります。医師の診断結果次第では、免許が取り消されることもあります。

- 昼間でもヘッドライトを点ける──天気の良い日でも、昼夜を問わず、自動車のヘッドライトを点灯して道路を走行しなければなりません。2014年1月1日から義務づけられました。違反すると罰金が科せられます。

- 高速道路のステッカー──高速道路を利用する際は、車のフロントガラスにヴィニエット →303/365 というステッカーを貼るか、電子登録をしておかなければなりません。

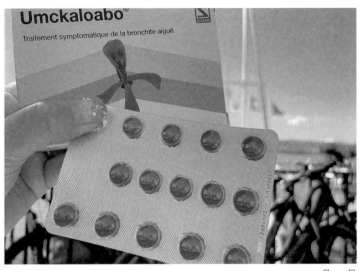

11月15日

ハーブの薬

　風邪を引いてもクリニックを訪れる人はあまりいないようです。理由はシンプルで、医師が診てくれないからという声も……。インフルエンザの症状でかかりつけのクリニックに駆け込んだとき、「高熱があるのなら外出をせず、家で寝ていなさい」と言われるという話は、意外と「スイスあるある」です。まあこれは、極端な例なのかもしれませんが。風邪やインフルエンザにかかった場合、薬を服用せず、自然治癒に任せる人もいます。服用する場合は、ハーブ系の薬を好む人も多く、植物の根っこから作られた気管支炎の錠剤や水に垂らして服用する薬、咳止めシロップなどが薬局で手に入ります。医師から処方される胃薬や女性のホルモンバランスを整える薬などにもハーブが取り入れられており、ドイツの薬も多いです。風邪を引く前に免疫力をアップさせるハーブのサプリも人気です。私もスイスに住んで以来、ハーブの薬を愛用しています。

11月16日

手作りクリスマスリース教室

　クリスマス4週間前に迎えるアドベント →247/365 が近づくと、町のコミュニティでは、アドベント用のろうそくや、クリスマスリース作りの教室が開催されます。地元の主婦達がボランティアで行うのですが、これがすごく楽しいのです！　参加するときは、リースの芯になる輪や、デコレーション用に小物を買ったり、落ち葉や松ぼっくりを拾ったりと、準備をしておきます。リースの芯に、山ほど用意されているモミの木の葉を針金でどんどん巻きつけて緑の部分を作り、リボンやベル、松ぼっくりなどの小物を飾りつければ完成。スイスのクリスマスリースは、赤や緑、赤みがかった秋の落ち葉のようなオレンジ色など、濃い色合いのものが好まれるのですが、私は淡い色合いが好きなので、自分好みを貫いています。同じくらいの大きさと仕上がりのリースをお店で購入すると5,000円以上はするので、世界に1つだけの手作りリースに大満足です。

11月17日

オードリー・ヘプバーンさんが愛した場所

　スイス中央部にある「ビュルゲンシュトック（Bürgenstock）」は、フィアヴァルトシュテッテ湖に突き出た半島にある山です。そのすぐ下にあるリゾート地の名称でもあります。ここにある高級ホテルには、世界中からセレブ達が訪れます。晩年をスイスで過ごした女優のオードリー・ヘプバーンさんがレマン湖畔に移住する前、このホテル裏手にあるヴィラにご家族で住んでいたことでも知られています。付近にはヘプバーンさんが2度目の結婚式を挙げた小さなチャペルもあり、周りにはハイキングコースも広がっています。近くの遊歩道からはピラトゥス →215/365 と湖が目の前に広がり、遊歩道の終わりにあるエレベーターは、屋外設置のものとしてはヨーロッパで一番高い場所にあります。山頂まで1分未満で高速運転するこのエレベーターに乗れば、あっという間に頂上へ！　山の頂きから眺めるアルプスと湖、もちろん絶景です。

11月18日

スイスアーミーのブランケットを再利用して

「カーレンスイス（KARLEN SWISS）」というブランドは、さまざまなスイススタイルのコレクションを展開しています。特に人気なのが、スイスアーミー用に作られた未使用のウールのブランケットを再利用した雑貨です。軍隊が何世紀にもわたって訓練で使用していた山岳小屋で、暖かさを保つために利用していたブランケットを現代風にアレンジしてアップサイクルしているのです。スイスアーミー（軍隊）では1960年代に就寝具を寝袋に切り替えました。その際、未使用のブランケットを大量に備蓄していたことが判明。そこで関係者は、その温かなウール素材を活かして、別のものを作り出すことにしたのです。職人の巧みの技によって生まれたのが、スタイリッシュな商品の数々です。しっかりしたウール生地は、頑丈さが求められるバッグにも理想的。若い世代を中心に人気のバッグの他、ペンケースやスマートフォンのケースなども作られています。

11月19日

ロマンシュ語

　スイスには4つの公用語 →7/365 があり、そのうちの1つが「ロマンシュ語」です。ラテン語が起源だとされるロマンシュ語は、グラウビュンデン州の一部で使用されています。ロマンシュ語を話す人々の数は減少傾向にあり、現在では母国語として使用している国民は約0.5%です。グラウビュンデン州はスイスで唯一、ドイツ語、イタリア語、ロマンシュ語の3つの言語が話されています。州内のとある駅では、駅名がドイツ語とロマンシュ語で表示されていました。「あなたの幸せをお祈りします」という意味の「アレグラ（Allegra）」という言葉で挨拶されたら、そこはロマンシュ語の地域なのだそう。この地域の人々は、母国語以外の言語も話せるのが特徴で、近年では進学や就職などで故郷を離れて生活をする若者達もいます。彼らは自らのアイデンティティを大切にしながら、独自のコミュニティも保持しています。ロマンシュ語で活躍する作家やアーティストなどもいます。

234
/
365

11月20日

グリューワイン

　秋から冬へと移り変わる頃、街にはグリューワイン（Glühwein）のスタンドが並び始めます。ワインとはいうものの、実際の原料は、シナモン、レモン、ラム、ブランデー、ウォッカ、シュナップス、それにお砂糖など。いろいろなリキュールや材料を合わせて作ったお酒で、お店ごとにレシピが多少異なります。ほとんどのスタンドが、自家製グリューワインを提供しています。以前はグリューワインといえば「赤」のイメージでしたが、最近は「白」のグリューワインも選べるお店が増えています。紙コップで提供されることが多いのですが、お値段は上がるものの、持ち帰りできるかわいいクリスマスの絵柄の陶器のカップで注文できるお店もあります。寒い日には、仕事帰りの人々がグリューワインを片手に語らう姿も。11月下旬に始まるクリスマス市 →245/365 →252/365 →260/365 をそぞろ歩きながら、このホットドリンクをいただくのも、スイスの冬の楽しみです。

11月21日

駅の時計

　「モンディーン（MONDAINE）」はスイスの時計メーカーです。シンプルで個性的なデザインがひときわ目を引きますが、この会社が名実ともに有名なのは、スイス連邦鉄道がオフィシャルタイムとして同社の時計を使用しているからでしょう。チューリッヒ中央駅→188/365 の広場にある高さ4m ものモンディーンの時計は、遠くからでもよく目立ちます。時計の周りは待ち合わせ場所として利用され、年中多くの人々で賑わっています。チューリッヒ中央駅のミーティングポイントといえば、間違いなくここ！　モンディーンの時計は1986 年より、スイス連邦鉄道で公式採用され、同じ形状の時計はスイス各地の駅に設置されています。鉄道マニアの間で人気のモンディーンの時計は、駅の時計のイメージが強いのですが、自宅用の置き時計や壁掛け時計、近年ではパステルカラーの腕時計なども製造販売していて、趣味やお出かけのときなど日常生活の場でも活躍しています。

11月22日

頭痛の原因はフェーン現象

　スイスに住んでいると、「フェーン（Föhn）」という言葉をよく耳にします。いわゆるフェーン現象のこと。アルプスの壁に当たった風が下降するとき、付近の温度が上昇する現象です。天気予報では、ときどきお天気キャスターがフェーン現象について解説しています。フェーン現象は人体に影響があり、体質によっては症状が出ない人もいる一方で、体調不良に陥る人もいます。フェーンが吹くと急激な温度と気圧の変化の影響で、頭痛やイライラなどの症状が引き起こされるのです。「フェーン病」という病名もあります。私もフェーンの影響を受けてしまう1人で、症状があるときは、起床するとズキンズキンとこめかみを打たれるような頭痛がします。そんな朝は決まって、自宅の窓から遠くの美しいアルプスの山々の姿がはっきりと臨めます。フェーン現象が起きるときは快晴なので、空気が澄んでいるのです。頭痛とセットの絶景は、なかなかに悩ましいものがあります。

11月23日

インフルエンザ

　インフルエンザはドイツ語で「グリッペ（Grippe）」です。なるべくかからないように、予防接種を受ける人が以前より増えています。かかりつけのクリニックや予防接種センターで接種するときは予約をします。薬局でも接種することができます。グリッペが流行する季節に街でときどき目にするのが「予約なしで、待たずにインフルエンザの予防接種を受けられます。買い物途中に是非お立ち寄りを」と書かれたサインです。費用は 5,000 円前後（コロナ禍以降は、予約が必要な場合も出てきました）。予防接種をしてもインフルエンザにかかってしまったら、あとはもう家でゆっくりと休むしかありません。クリニックを訪れても「外を出歩かないで、家で休んでいなさい」と言われてしまいます →229/365。そもそもスイス人はインフルエンザにかかっても病院には行かないのが一般的。温かくしてビタミンと水分を補給し、ひたすら眠るのがスイス流の治し方です。

11月24日

クリスマスライト点灯式

　11月下旬、毎年チューリッヒの街にクリスマスライトが点灯します。バーンホフシュトラッセ →65/365 に灯される、空から星が降ってくるようなクリスタルのイルミネーションは、ビートルズの名曲『ルーシー・イン・ザ・スカイ・ウィズ・ダイアモンズ』にちなみ、「ルーシー（Lucy）」と名づけられています。このライトが点灯する日の夕刻になると、バーンホフシュトラッセにはその瞬間をひと目見ようと大勢の人が集まります。夕方6時、通りの時計店の時を知らせる鐘の音とともに、ルーシーが一斉に点灯。キラキラとした星のような輝きに、群衆からは歓声が上がります。ここからはスマートフォンでの撮影タイムの始まりです。クリスマスシーズンの幕開けを、駆けつけたたくさんの人達が喜び合います。ライトは特別にカットされたクリスタルで、コンピュータシステムによって明るさも管理されているという、実はとてもハイテクなイルミネーションなのです。

239
/
365

11月25日

ユニークなラッピング車両

　チューリッヒの街を歩いていると、トラム、電車、バス →359/365 のラッピング車両を見かけます。過去に見たことがあるものの中には、エーデルワイス航空 →154/365 がスポンサーのエーデルワイスのラッピング、ミルク会社の牛のデザイン、お菓子屋さんの甘いスイーツが描かれたものや北欧のインテリアショップ IKEA のロゴで覆われたものなど。走っているトラムを眺めているだけで、街歩きも楽しくなります。特に強烈だったのは、チューリッヒ中央駅に停車中の電車にデザインされていた「Zürcher Kantonalbank」という銀行の広告です。チューリッヒの銀行のため、車体には街を象徴するモチーフがいっぱい描かれていました。チューリッヒ湖の白鳥、グロスミュンスター →29/365、湖の打ち上げ花火、チューリッヒのシンボル的存在でもあるライオン →122/365 など。インパクトが大きくて、広告効果も期待できそうな気がします。

240
/
365

11月26日

あったかチーズフォンデュの季節

　秋も深まり、そろそろ肌寒くなり始めると、とろーり熱々のチーズ
フォンデュがおいしい季節です。レストランで秘伝の味を堪能するの
もありですが、チーズフォンデュは家庭料理として親しまれています。
グリュイエールチーズと白ワインをメインに、時には他の種類のチー
ズ、ナツメグやパプリカのパウダー、黒胡椒などを加えて味を調整し
ます。チーズフォンデュにはそれぞれの家庭の味があります。町のスー
パーには、フォンデュやラクレット　→309/365 などの料理用のチー
ズがずらりと並びます。チーズが勢揃いする売り場 →15/365 を
眺めていると「ここはスイスだな」としみじみ感じます。常温保存が
できる1人用の即席フォンデュは、電子レンジで温めるだけで気軽に
楽しめて、スナック感覚で食べる人も多いようです。冬になると、風
景を眺めながらチーズフォンデュを楽しめる、商業用のトラム
→22/365 もチューリッヒ市内を走ります。

11月27日

野鳥の餌やりシーズン到来

　本格的な冬がやってくる前の季節、ホームセンターには数多くの野鳥の餌が並びます。冬の間は野鳥が自ら餌を確保することが難しいため、庭のテラスやバルコニーなどに、水を飲める場所やバードフィーダー　→364/365 を設置して、鳥を餌づけする人々がいるのです。スイスに限らず、ヨーロッパ各地でも、冬から初春にかけて野鳥に餌やりをする人はたくさんいます。家の中で過ごすことが多くなる真冬の間は、少し気分が滅入り気味になりますが、そんな人々の心を癒すのが、かわいい野鳥達の姿なのです。地域によっては鳥の餌やりが禁止されていますが、禁止されていないチューリッヒ州のお店では、大きさも形もさまざまなバードフィーダーが勢揃い。鳥を寄せつけるためなのか、カラフルな色合いのものもあります。鳥の種類別に餌も異なります。お皿に乗せる餌から、上から吊るすネットに入った球状の餌まで、種類も豊富です。

11月28日

バーゼルの市庁舎

　バーゼル市は1501年にスイス連邦に加盟しました。街の中心の「マルクト広場（Marktplatz）」に面して建つ、ひときわ目を引く赤い建物がバーゼルの市庁舎。大きな時計塔と壁面のフレスコ画が特徴的な、ゴシック様式の美しい建物です。1356年の大地震で崩壊したかつての政府の本拠地に代わるものとして、1504〜1514年にかけて、上部の3つのアーケードと政府会議室を備えた市庁舎の本館が建築されました。時計塔は19世紀末〜20世紀初頭に増築されたものです。歴史的建築物である市庁舎の内部は美しい壁画で彩られており、中庭の大きな時計塔とともに一見の価値ありです。現在は主に、大評議会（立法）と政府評議会（行政）の会合場所として使用されています。平日は無料で市庁舎内の見学ができます。目の前のマルクト広場では、火曜日から土曜日まで、新鮮な野菜や果物、花などが売られる市場（マルクト）が開かれています。

11月29日

スイスのお墓

　スイスのお墓は、家族全員で入るものではなく、個人のお墓がほとんどです。地域により多少違いはありますが、自治体が管理する墓地に、ちょうど棺が入るくらいの大きさの区画を借りるのが一般的です。だいたい20〜30年を目処に役所から連絡が入り、そのままお墓を継続するか放棄するかを、親族が選択します。お墓を使用する初期費用は無料か、費用がかかるとしてもわずかな管理費のみ。しかし、その後もお墓を維持する場合は、継続費用を支払うことになります。もしも故人の遺族が継続を希望しない場合、お墓は掘り起こされた後に処理工事を行って、新たに別の人が眠る新しいお墓へと生まれ変わります。墓石は、親族の希望で持ち帰って保存することもあれば、希望しない場合は再利用されることもあるそうです。近年では、樹木葬や集合墓地などの希望を生前に伝えておき、故人の希望に沿ったお墓にする人々も増えています。

244
/
365

11月30日

エンガディナー・ヌストルテ

　「ヌストルテ」として親しまれている「エンガディナー・ヌストルテ（Engadiner Nusstorte）」は、エンガディン地方に伝わる伝統の焼き菓子です。「エンガディナー」はエンガディン地方を表し、「ヌストルテ」はクルミなどのナッツ類を使ったケーキの意味。日本でも販売されている、クルミが入った人気の焼き菓子は、エンガディナー・ヌストルテをモデルに作られたそうです。スイスにヌストルテが初めて登場したのは20世紀初頭のこと。エンガディン地方は真冬になると、湖も凍結するほどの寒い土地。そんなこともあり地元の菓子職人が、体内にエネルギーを蓄えられるように栄養価の高いナッツをキャラメル風味にして、甘くて日持ちのする焼き菓子を作ったのが始まりとされています。現在ではスーパーでも気軽に買える国民的なお菓子ですが、エンガディン地方の数多くのお菓子屋さんでは企業秘密の独自のレシピを守り、今も伝統のお菓子を作り続けています。

12月1日

チューリッヒ中央駅のクリスマスマーケット

　クリスマスが近づく 11 月下旬から、チューリッヒ中央駅では「ク
リストキントリマルクト（Christkindlimarkt）」が開催されます。ス
イスドイツ語で「キリストの子ども達」という名前を冠した、ヨーロ
ッパで最大規模の屋内クリスマスマーケット（クリスマス市）です。
中心となる広場には、毎年の恒例で巨大なクリスマスツリーが立てら
れ、チューリッヒ名物となっています。小屋の形をした約 200 軒の屋
台が並び、装飾品、ジュエリー、アーティストによるハンドメイド作
品など、クリスマス関連の素敵なものから普段使いのものまで、魅力
あふれる商品が販売されます。食べ歩きの屋台もたくさんあります。
私のお気に入りはハンドメイドのカードや、温もりのあるキャンドル
などで、毎年違うデザインのものを集めています。歩き疲れたら、名
物のグリューワイン →234/365 で休憩です。

12月2日

聖ニコラウスのパン

　聖ニコラウスの日 →250/365 が近づくと、町に「グリッティベン
ツ（Grittibänz）」のパンが並びます。実はこのパン、「聖人（3人の
賢者）」を表現しています。サンタクロースのモデルともいわれる聖
ニコラウスは、パン職人の守護聖人でもありました。そのため、スパ
イスをきかせたパン「レープクーヘン（Lebkuchen）」とともにグリ
ッティベンツも、聖ニコラウスの日やクリスマスに欠かせないパンと
なったのだそう。ほんのり甘く、見た目と同様に素朴な味です。聖ニ
コラウスの日に社食でこのパンを配る会社もあります。家庭で手作り
する人も多く、専用の型も販売されています。グリッティベンツ以外
にも、男の子や女の子の形をしたお人形のようなかわいいパンがあり、
パン屋さんのショーウィンドウを眺めるのもこの時期の楽しみ。かわ
いい形のパンは食べるのがもったいないくらいですが、このパンは1
日経てば固くなるので、焼かれたその日に食べるのがおすすめです。

12月3日

アドベント

クリスマスの4週間前の日曜日は「アドベント（Advent）」。この日から灯すろうそくを「アドベンツクランツ（Adventskranz）」と呼んでいます。クリスマスまでの日曜日にだけ灯すため、ろうそくは4本立っています。今の豊かなスイスからは想像できませんが、かつて貧しい国だった頃は、毎日ろうそくを灯すのは贅沢だったそうで、クリスマス1か月前の日曜日限定で灯していたのだそうです。現在は、写真のように同じ高さのろうそくが並んだものが主流ですが、オリジナルのアドベンツクランツは、4本の高さがそれぞれ異なります。アドベント初日に一番背丈の高いろうそくに火を灯し、1度消します。その翌週の日曜日には、二番目の背丈のものと同時に、前の週に使ったろうそくに再び火を灯します。1週間ごとにそれを繰り返すと、クリスマスの日にはろうそくの高さが同じに。心温まるクリスマスを楽しみに、昔の人々はアドベンツクランツに火を灯したのでしょう。

12月4日

『ウルスリのすず』

　スイスでは誰もが知っている絵本があります。『ウルスリのすず』という物語です。ウルスリはとんがり帽子をかぶった男の子で、スイスの山奥に住んでいます。村のお祭りで大きな鈴がほしかったウルスリですが、手に入ったのは小さな鈴だけ。ほしかった大きな鈴を求めて、森の中へと冒険に出かける……こんなお話です。ゼリーナ・ヘンツ原作の『ウルスリのすず』は1945年に、最初はドイツ語とロマンシュ語 →233/365 で出版されました。100万部以上が売れ、その後9か国語に翻訳され、世界中の子ども達に愛される絵本になりました。日本語版も出版されています。ウルスリの物語をモチーフにデザインされた陶磁器セットも販売されています。チーズフォンデュ用のシリーズですが、大きなお皿は部屋に飾ってもかわいいです。マグカップなど日常使用できるものもあります。ウルスリは時代を越えてたくさんの人に親しまれている、スイスを代表する人気者です。

5 | Dezember

12月5日

クリスマスクッキー

　12月に入ると、お店にはいろんな形の「クリスマスクッキー（Weihnachtskonfekt）」が並びます。クッキーはクリスマスには欠かせないお菓子で、各家庭でもクッキーを焼くのが伝統です。お店でよく見るのが、バターとバニラを使用したクッキー「マイレンデルリ（Mailänderli）」、表面に卵白のアイシングを施した星形のシナモン味のクッキー「ツィムトシュテルネ（Zimtsterne）」、ナッツとシナモン味のチョコレートクッキー「ブルンスリ（Brunsli）」、真ん中にイチゴやラズベリージャムがつまった「シュピッツブーベン（Spitzbuben）」など。ちょっと異色ですが、アニス入りクッキー「クレーベリ（Chräbeli）」も人気。クッキー教室も開催されるほど、スイスの人々にとってはクリスマスの必需品なのです。たくさん焼き上がったクッキーは缶の箱につめて、お世話になった方や知人へ配るのもスイス流です。

12月6日

聖ニコラウスの日

　12月6日は聖ニコラウスの日。サンタが子ども達の元を訪ねる日です。スイスでは聖ニコラウスを「サミクラウス（スイスのサンタクロース）」と呼んでいます。チューリッヒ市内では毎年、聖ニコラウスの日の週末にサミクラウスのパレードが開催され、通りは子ども達とその家族でいっぱいに。沿道ではサミクラウスが果物、ナッツ、チョコレート、レープクーヘンなどを配ります。子ども達はサミクラウスからの贈り物を楽しみにしています。似たような行事は各地で行われます。この行事が近づくと、スーパーには果物やナッツなどがたくさん並びます。サミクラウスは森の中からロバに乗ってやって来るといわれています。日本人がイメージするサンタクロースと違うのは、サミクラウスは赤いガウンを着ていて、従者の「シュムッツリ」を連れていること。1年間良い子だった子どもにはご褒美があり、悪い子だった子どもにはお仕置きが待っているのだそう！

12月7日

スイスのサンタ、サミクラウスの裏話

　スイスのサンタクロース「サミクラウス」と従者の「シュムッツリ」は、聖ニコラウスの日 →250/365 が近づくと、学校や一般家庭にも登場します。実は、保護者や幼稚園の先生が事前に準備してお金を支払い、子ども達を訪ねてもらうシステムがあるのです。スイスには「サミクラウス協会」があり、サミクラウスに扮するのはそこに加入している一般の男性達。彼らはクリスマス前のこの季節だけサミクラウスになり、個人の家や、幼稚園、地域のコミュニティなどの場に呼ばれ、フルーツとナッツがいっぱいつまった袋を携えて、子ども達の元に参上するのです。地域のボランティアで、サミクラウスの役目をする人もいるようです。知人の旦那様がサミクラウス役を担うことがあるそうですが、聖ニコラウスの日が近づく頃は、毎日大忙しなのだとか。楽しい行事の裏方では、子ども達の夢のようなひとときを実現するため、こうして頑張っている大人達がいるのですね。

8 | Dezember

252
/
365

12月8日

アインジーデルンのクリスマスマーケット

　中世の時代から巡礼の道の1つとして重要な役割を果たしている町アインジーデルン（Einsiedeln）。この町では、毎年12月6日の聖ニコラウスの日 →250/365 の前後に、幻想的で美しいクリスマスマーケットが開催されます。アインジーデルンはチューリッヒ州と隣接するシュヴィーツ州にある、スイス最大のカトリックの聖地。ベネディクト修道院 →193/365 は現在も敬虔なキリスト教徒が集まる場所です。この時期、メインストリートから修道院までは、山小屋の形をした約130軒の屋台がずらりと続きます。ソーセージやサラミ、蜂蜜の生地で作られた地元のお菓子「シャフボイケ（Schafböcke）」などは見逃せません。クリスマスマーケットの期間中は、修道院や周りの広場で、パイプオルガンの演奏、聖歌隊の合唱などの催しも行われます。暗くなると、周囲は厳かな雰囲気に包まれ、ライトアップされてうっすらと浮かび上がる修道院の美しさにも目を奪われます。

9 | Dezember

12月9日

ラッピング

　日本では贈り物を購入すると、お店でギフトラッピングしてもらえることが多いもの。一方、スイスでは、ラッピングペーパーやギフト用の袋を贈り物の商品とは別に購入し、自分でラッピングをするのが一般的です。デパートやちょっと高級なお店なら「プレゼント用に」と伝えれば対応してくれますが、品物をギフト用の袋に入れるくらいのことがほとんどです。クリスマス前のデパートには特設のラッピングカウンターが登場し、ラッピングサービスを提供してくれます。まずレジでお会計をして、ラッピングカウンターへ移動。レシートを提示して順番を待ちます。クリスマス前のカウンターは大忙しで、時には数十分待ちのことも。セーターのプレゼントのラッピングを頼んだときは、20分も待ちました。渡されたのは、セーターの入った箱にクリスマス用のリボンをかけただけのもの。大きめのスーパーでは、自分で行うセルフラッピングのカウンターを設けているお店もあります。

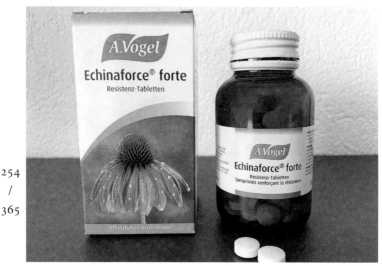

12月10日

エキナセア

　秋から冬にかけて薬局に山積みされるのが、各家庭に欠かせないハーブ「エキナセア」の関連商品です。独自の方法でエキナセア商品を開発している会社もあり、「オーガニックな自家製ハーブを使用」などと謳った商品も並んでいます。私も愛用者の１人なのですが、薬というよりも、サプリ的な感覚で取り入れています。エキナセアは免疫力を高めてくれるため、熱が出たときの対処や、喉の炎症を抑えたり、気管支炎や鼻炎にも効果が期待できます。また、インフルエンザや風邪のウイルスに対抗する力を発揮するともいわれています。スイスでは、開花したエキナセアの花の根っこで作られた錠剤が一般的ですが、子ども用シロップなどもあります。別の植物やハーブから生まれたサプリを愛用する人や、20種類以上の薬草を使用した、スイス製造の漢方薬もあります。ハーブティー　→26/365 と同様に種類が豊富で、スイスでの暮らしのあちこちにハーブは浸透しています。

12月11日

シンギング・クリスマスツリー

　チューリッヒ市のクリスマスシーズンのイベントで欠かせないのが、毎年恒例の「シンギング・クリスマスツリー（The singing Christmas tree）」です。人間が巨大クリスマスツリーの一部となり、みんなで大合唱する、その名のとおり「歌うクリスマスツリー」なのです。クリスマス前の約2週間開催され、合唱団は日替わり。本格的なゴスペルの大合唱からスタートし、土日を中心に子ども達の合唱団も登場します。ちょっと音が外れそうになりながらも、懸命にジングルベルを歌う子ども達のかわいらしいこと！　ツリーの前で指揮をとる先生も「頑張れ〜」と声をかけながらの大合唱。名物イベントのツリーの一部になれるのは、きっと誇らしいことなのでしょう。みんな楽しそうに歌っている姿も印象的です。ツリーの隣には、グリューワイン →234/365 やラクレット →309/365 などのスタンドが立ち、心とお腹を満たしながら、人々はクリスマス気分に酔いしれます。

12月12日

ちょっと変わった法律・条例

連邦政府により施行されている約4,980の項目の条例、および法律に加え、州単位で17,000を超える地方の条例があります。州ごとに微妙に決まりも異なります。以下、いくつか挙げてみましょう。

●行き過ぎた「キラキラ・ネーム」は禁止──子どもの幸福を損なう名前や、攻撃的なイメージを与える名前をつけることはできません。

●チューリッヒ州では、釣った魚と一緒に写真を撮ることは禁止

●特定のキリスト教の祝日には踊ることが禁止──すべてのエリアではなく、ある州のみですが、静粛に過ごす日という理由のためです。

●特定のペットについて、それらを孤独にすることが禁止──社交的とみなされる特定の動物（モルモット、金魚、セキセイインコなど）は、単独で飼うことや、小さなケージに入れて飼うことなどが禁止されています。ペア（バディ）で飼わなければペットに寂しい思いをさせてしまうからという理由です。

12月13日

抜き打ちチェック

　公共交通機関を利用する際、駅などには改札がないため、ほぼノーチェックで乗車できます。切符は所持しているか、スマートフォンにダウンロードしているもの。わざわざ確認しなくても、切符を購入しているものだと、乗客は信頼されているのです。ただし、中にはその信頼を裏切る人もいます。そういった一部の人を取り締まるために、抜き打ちチェックがあります。トラムに乗車していたときの一例です。あえて私服の検札官は3〜4名の小グループで行動しています。運転士がドアを閉めると同時に「みなさん、こんにちは。車内検札です。乗車券のご提示を願います」と声がかかり、検札が開始されます。無賃乗車した人がいれば、検札官数人に取り囲まれ、厳しい口調で責め立てられます。そして、次の駅で降ろされて、罰金を支払わされます。実際に、検札官に捕まった人を見たことが何度かあります。信頼されている分、裏切ったときの代償は大きいのです。

12月14日

屋外スケートリンク

　クリスマスの前から、各地に屋外のスケートリンクがオープンします。スポーツセンター、美術館、ホテルの敷地内やショッピングセンターの中にまで。チューリッヒ市内の高台にある高級ホテル、ザ・ドルダーグランドに隣接する巨大な人工スケートリンクは、1930年に建設されました。広さは6,000㎡で、現在もヨーロッパ最大級の、屋外にある人工スケートリンクの1つです。ファミリーや若者、カップルなどに人気で、毎年賑わいを見せています。そんな本格的なリンクもあれば、買い物途中にちょっと立ち寄れる小型のリンクもあります。こうした小さなリンクでは、小さな子ども達も保護者に付き添われながら、練習に励んでいます。初めて滑る子ども用には、動物の形をした補助器が大活躍。補助器につかまり立ちをして、ゆっくりと押しながら、氷上を滑る感覚を覚えていきます。こんな小さなリンクで経験を積んだ子の中から、未来のオリンピック選手が生まれるのかも⁉

12月15日

フォンデュ・シノワーズ

　「フォンデュ・シノワーズ（Fondue Chinoise）」はスイスの郷土料理の１つです。熱々のブイヨンスープを入れたお鍋の中に、シノワーズ用に薄切りした牛肉、豚肉、仔牛肉などの好みの肉をくぐらせ、ソースをつけていただく、スイス風しゃぶしゃぶのようなもの。クリスマス　→269/365 などの料理としてもおなじみです。お肉は事前に予約しておき、お肉屋さんにスライスしてもらうことが多いです。そのため、クリスマス前のお肉屋さんは大忙し！　スーパーでは、スライスされた「シノワーズミックス」という冷凍肉も売っています。ソースは、タルタルソース、カレーソース、バーベキューソース、カクテルソースなど種類も豊富。市販のソースもありますが、「手作りソースこそがこの料理の決め手！」という声も。主婦同士でレシピを教え合い、思考錯誤しながらおいしい自家製ソースを完成させる人もいます。

12月16日

オペラハウス前のクリスマスマーケット

　12月のチューリッヒ市内。中央駅に次いでメインの駅となるシュタデルホーフェン（Stadelhofen）駅を出ると、クリスマス仕様に赤くライトアップされたオペラハウスが見えてきます。周りにはチューリッヒで一番大きな屋外のクリスマスマーケットが並びます。ラクレット →309/365 や焼きソーセージ →62/365 はもちろん、アジアンテイストの屋台も人気。手作りの工芸品や、アーティストによる作品などもあり、蜜蜂の巣箱のような珍しい小物を見つけることもあります。そぞろ歩きも楽しいマーケットの一番人気はグリューワイン →234/365 のスタンド。夜間は氷点下になることもありますが、この季節独特の情緒を味わおうと、夜のマーケットはたくさんの人々で賑わいます。暖を取るため、グリューワインのスタンド前にはずらりと行列が。中央に立てられた大きなモミの木のツリーを囲んで、グリューワインを飲みながら語り合い、クリスマス気分を満喫します。

12月17日

すごいアドベントカレンダー

　クリスマス前になると、一部の地域の建物の窓が、アドベントカレンダーに様変わり。写真はザンクト・ガレン州のヨナ（Jona）の建物の窓です。窓の数は25あり、12月になると毎日1つずつ窓が開かれ、絵が登場します。毎日1個ずつお菓子が出てくるアドベントカレンダーのように、クリスマスの日にはすべての窓が開いて、25点の絵が揃います。夜間はライトアップされ、描かれた絵がほのかな灯りとともに浮かび上がり、外から眺めている人もクリスマス気分で満たされます。このような「アドベントの窓（Adventsfenstern）」と呼ばれる試みは、ドイツで行われることが多いそうですが、スイスの一部地域でも目にするようになりました。クリスマスシーズンの遊び心いっぱいの飾りつけは、多くがボランティアの協力によって成り立っています。中には地元のアーティストが描いた、こだわりの窓も登場します。

12月18日

自分で選ぶクリスマスツリー

　一般家庭では、クリスマスツリーに本物のモミの木を飾る習慣があります。12月初旬になると、ガーデンセンターやスーパーの園芸コーナーには、モミの木がずらりと並びます。ツリーの選び方のコツは、高さが自分好みか、枝と葉っぱがうまい具合に茂りバランスが取れているかなど。葉が多すぎると飾りをつけにくいので、そのあたりも見極めたいところです。人々は吟味しながら、時間をかけて慎重に選びます。クリスマスツリーに対するこだわりに、スイスらしさを感じる季節でもあります。人気はやはりスイス産の木。お値段は小さなものだと 2,500 円くらいから。中には、植えられた状態で購入できるツリー販売所もあります。ある植木屋さんのツリー売り場では、生い茂るツリーの中から自分達で好みの木を選び、備えつけのノコギリを使って、セルフサービスで木を切ります。お店の方に高さを測ってもらい、その場で代金を支払い、持ち帰るシステムです。

19 | Dezember

12月19日

メルリトラム

　クリスマスが近づくとチューリッヒの街に現れるのが、「メルリトラム（Märlitram）」です。「メルリ」とはスイスドイツ語で「メルヘン」のこと。メルリトラムは、「メルヘンチックな路面電車」という意味です。メルリトラムには60年以上の歴史があり、クリスマス前の約1か月間、子ども達の夢を乗せて街を走ります。かわいい赤い車体には、天使やサンタの絵が描かれ、おとぎの世界そのもの。夜はライトアップされ、街中でひときわ目を引きます。乗車できるのは4〜9歳の子どもだけ。大人で乗車できるのは、サミクラウス →250/365 に扮した運転手と、お世話係の天使に扮した女性達のみです。車内では天使達が絵本を手に、子ども達に童話を語り聞かせ、一緒にクリスマスキャロルを歌い、約20分間の短い旅を終えます。発売と同時に売り切れになることも多く、メルリトラムのチケットを手に入れるために、保護者達は毎年奮闘するという裏話もあります。

12月20日

バートラガーツのリゾートホテル

　『アルプスの少女ハイジ』→142/365 の物語で登場するバートラガーツ（ザンクト・ガレン州）は、ヨーロッパ内でも大規模なメディカルリゾートとして知られています。1242 年に創業し、最高のウェルネスホテルに何度も選ばれたラグジュアリーホテル「グランド リゾート バート ラガーツ（Grand Resort Bad Ragaz）」では、予防・栄養医学分野での経験を活かし、新しいメソッドを温泉療養プログラムに取り入れ、世界中からゲストを迎え入れています。ホテル内のスパの名前は、温泉の温度にちなんだ「36.5℃」。水着の上にバスローブを着て、部屋からスリッパで階下のスパへ。スパには湧き出るメインの温泉の他、温泉水を使用したプール、サウナ、リラックスエリアなどがあります。お湯に浸かった後は、ホテルのレストランでリッチなディナー。気軽に利用できる公共温泉も良いのですが、至れり尽くせりの豪華なホテルで極楽気分を満喫するのも、大人のご褒美のようです。

12月21日

レストラン「IGNIV」

　グランド リゾート バート ラガーツ →264/365 に宿泊する大きな魅力の1つが、スイスを代表する現代料理のシェフ、アンドレアス・カミナダ氏 →75/365 のレストラン「イグニブ（IGNIV）」（2023年時点でミシュラン2つ星）での夕食です。おすすめはシェフのグルメコース。スイスのレストランでは1人1皿注文するのが一般的 →356/365 ですが、ここでは料理のすべてを1つのテーブルでシェアするという、スイスではちょっと珍しいスタイルです。「IGNIV」という店名はロマンシュ語 →233/365 で「巣」という意味。巣から生命が広がり、そこから人々がつながってゆく……という意味合いが込められているそうです。その日のお任せで次々と運ばれてきた全21品の中には、まさに「巣」を連想させるかのような形をした料理も複数ありました。シェフの料理にかける熱い思いを感じ、それを心ゆくまで味わえるレストランです。

12月22日

特別なシーズン

　クリスマスが近づくと、町のあちらこちらからクリスマスソングが聞こえてきます。チューリッヒでクリスマスソングといえば、真っ先に思い浮かぶのがシンギング・クリスマスツリー →255/365 ですが、クリスマスシーズンの町では、大小の聖歌隊がクリスマスソングを歌っている姿を見かけます。寄付金を募る大人の聖歌隊の姿もあれば、学生のグループが学校で習った歌を特設ステージの上で披露する姿も。道ゆく人々が足を止めて一緒に歌を口ずさんだりすることもあり、そんな光景を目にすると、心が温かくなっていく気がします。クリスマスマーケットに人々が集う駅の構内では、現代風のクリスマスソングを楽しむ人々もいて、通りがかりの人達が、ポップなクリスマスのヒットメドレーに合わせて陽気に踊っている姿を目にしたりもします。神聖さと華やかさの両方の面を合わせ持つクリスマスシーズンは、誰にとっても特別であるようです。

23 | Dezember

12月23日

クリスマスツリーのろうそく

　スイスの家庭では、モミの木をクリスマスツリー →262/365 にして飾りつけをします。飾りはシンプルで、ツリーにつけた本物のろうそくに火を灯すのが伝統とされています。古くからのしきたりでは、飾りつけをするのは12月24日とされています。お花屋さんではろうそくのついた鉢植えのツリーなども売っています。でも最近は、ろうそくをつけず、オーナメントだけを飾りつける家庭も増えているのです。実は、ツリーに装着したろうそくの火が原因で、スイスでは毎年、クリスマスから年末にかけて火災が発生します。乾燥した気候なので、カーテンや家具に火が移ると一気に燃え広がってしまいます。こうした火災の場合、火災保険金が下りるかどうかが微妙で、保険が適用されないケースもあります。そんな事情もあり、ツリーのろうそくに火を灯す家庭も減りつつあるようですが、火の用心を心がけながら、温もりのある古い伝統は残してほしい気がします。

12 月 24 日

クリストキント

　クリスマスシーズンによく耳にするドイツ語の「クリストキント（Christkind ／「クリストキンド」とも）」。直訳すると「幼いキリスト」ですが、実際は「クリスマスの天使」を意味します。チューリッヒ中央駅で行われるクリスマスマーケット →245/365 の名称も「クリストキントリマルクト」です。スイスドイツ語では、小さいものや、かわいいものの言葉の末尾に「リ」→3/365 をつけることがあります。クリストキントのイメージは、女性の姿だと伝えられていて、サンタクロースと同じような役目を果たし、12 月 25 日にはプレゼントを子ども達の元へ届けることになっています。24 日の夜、子ども達が寝静まった後、親達はプレゼントをクリスマスツリーの下に並べ、ろうそくに火を灯します。25 日の朝は、小さなベルをチリンチリンと鳴らして、クリストキントが今年も家にやってきたことを子どもに伝えながら起こすのが、古くからの習慣です。

12月25日

ヴァイナハテン

クリスマスはドイツ語で「ヴァイナハテン（Weihnachten）」、フランス語で「ノエル（Noël）」、イタリア語で「ナターレ（Natale）」と呼ばれています。24日と25日は、1年の中で特別な日。24日のイブは午後まで開いているお店もありますが、25日は祝日で一般のお店はお休みです。地域や家庭により違いがありますが、24日の夕刻頃から家族が集ってお祝いの食事をする家庭が多く、親しい友人を自宅に招いて、一緒に食事をすることもあります。一般的には家で静かにお祝いをするのが伝統です。25日には教会で行われるクリスマスの礼拝に参加する人々もいます。ドイツ語圏での習慣ですが、クリスマスの食事には、チーズフォンデュ →240/365 や、フォンデュ・シノワーズ →259/365 などのフォンデュを楽しむ家庭が多いです。クリスマスクッキー →249/365 や、シナモンとクローブなどのスパイスを効かせたレープクーヘン（Lebkuchen）も欠かせないお菓子です。

12 月 26 日

クリスマスツリーはいつまで飾る？

クリスマスツリーはいつまで飾るのでしょうか？ クリスマスが終わり、年も改まった 1 月 6 日（公現祭）→281/365 までがクリスマス期間とされているため、スイスでは年が明けても 1 月 6 日まではツリーを飾っておくのが一般的です。一般家庭で使ったツリーは、各自治体が 1 月中に設けた「クリスマスツリー回収日」に、回収されます。この日にマンションや家のゴミ置き場に置いておけば、モミの木のツリーも回収してくれるというわけです。街のクリスマス・イルミネーションや、公共の場に飾りつけられたツリーも、そのタイミングで片づけられます。各家庭のクリスマスデコレーションの片づけは意外とまちまちで、1 月下旬くらいまで家の窓辺にクリスマスライトを灯し続けている様子も目にします。日本的な感覚だと、「年が明けたのに、まだクリスマス気分 ⁉」という気もしますが、宗教や文化の違いもありますし、ところ変われば……と感じさせられる毎年の光景です。

12月27日

雪対策

　雪が降るとすぐに除雪車が走ります。各自治体では真夜中でも除雪車を稼働させるため、車は問題なく走行できます。線路もすぐに整備されるので、よほどの降雪量でもない限り、鉄道や道路への影響はありません。電車やバスもほぼ時間どおりにやってきます。住宅街では、夜通し雪が降った翌日の朝、起きてみるとマンションの敷地内は既に雪かきが完了しているのです。雪対策の徹底ぶりは、まさに「すごい！」のひとこと。賃貸の集合住宅の多くは、管理している不動産会社が雪かき業者と契約をしています。雪が積もると業者が直ちに出動し、あっという間に除雪が完了。除雪の仕上げに欠かせないのが、専用の「塩」。雪かき後の道路や歩道は滑りやすくとても危険なため、塩を滑り止めのためにまいているのです。一軒家では雪かきをしている住人の姿も見かけます。普段は上品なマダム達もこのときばかりは力強く変身し、長靴を履き、家族の先頭に立って雪かきしています。

12月28日

薔薇色に輝く冬の朝

　チューリッヒ湖畔の空と湖が薔薇色に輝くことがあります。こんな神秘的な湖の光景は、冬の朝、毎年ほんの数回だけ見ることができる特別なものです。薔薇色に染まるのはほんの2分くらい。あっという間に消えてしまうので、朝、寝室の窓からアルプスの朝焼けが美しく見えた日は、薔薇色になるのを直感して、バルコニーへと猛ダッシュ。湖のそばで20年近く生活しているせいか、この直感に狂いはなく、我ながら「鋭い！」と自画自賛してしまいます。まるでマジックを眺めているかのような数分間。外の空気は冷たいけれど、澄みきっていて清々しい朝です。冬は長く、厳しい天候に見舞われることもありますが、自然が織りなす雄大な風景を眺められる湖畔の町での生活に、小さな幸せを感じる瞬間でもあります。普段はあまり意識していませんが、こんな風景を眺めていると、大自然に囲まれた国に暮らす歓びを実感します。

12月29日

このシーズンに食べられるもの

　12月後半になるとスーパーに並ぶのが、さまざまな種類のブロック状のハムです。日本のお歳暮のような豪華なものではなく、普通のハムの塊（かたまり）です。クリスマスから年末年始にかけて、フォンデュ・シノワーズ →259/365 と並び、ハムを温めて切り分けていただくのも一般的です。大晦日はこのハムをメインに、ポテトとチーズを並べて、あとはシャンパンかワインを片手に家族で乾杯します。こんな慎ましやかな食卓は、リッチなイメージのスイスとはちょっとかけ離れているようです。ある年長者にこの疑問を投げかけてみたことがあります。そのときに返ってきたのが「スイスはもともと貧しい国だったので、意外と質素なのです」との言葉でした。ロースト用の丸ごとチキンや、ステーキ用の牛肉など、豪華な食材もスーパーにはありますが、クリスマスにはフォンデュ・シノワーズやチーズフォンデュ →240/365、年末年始はハムを食べるのが意外と一般的なのです。

12月30日

カーリング

　カーリングはスキーやアイスホッケーとともに、冬の人気スポーツ
です。スイスのナショナルチームは男女ともに、常に世界ランキング
上位です。男子は過去のオリンピックで、金、銀、銅メダル、女子は
銀メダルを獲得したこともある強豪チームです。ヨーロッパでの大会
や世界大会が開催されると、テレビでもライブ中継します。一般市民
にも浸透しているため、趣味としてカーリングを楽しむ人々もいて、
カーリング専用スペースが整えられているスケートリンクもあります。
あらゆる世代の人々が集まり、練習をしている様子もよく見かけます。
会社の同僚達と社員同士の交流を深めるためにプレーする知人もいて、
とても身近なスポーツです。ストーンにはスコットランド産の石が使
われており、高密度で強度と滑りやすさに優れています。重さは約
20kgもあるので、氷上で持ち上げるのは絶対禁止。必ず氷上を滑ら
せて移動させなければならないそうです。

12月31日

大晦日

　静かに家族と過ごすことが多いクリスマスとは打って変わり、大晦日は少し賑やかです。友人や知人とカウントダウンパーティーを開く人々も増えています。チューリッヒ市では新しい年が近づくと、それまで静かだった街が目を覚ましたかのように、街のシンボルでもあるグロスミュンスター →29/365 をはじめとした教会の鐘々が鳴り響きます。市内およびチューリッヒ湖岸の町では、カウントダウン終了とともに、新年をお祝いする花火が一斉に打ち上げられます。規模は自治体によりさまざまですが、湖沿岸のあちらこちらで上がる花火は見応えがあります。レストランの一部は大晦日でも営業しているところもあり、チューリッヒのホテルのレストランでは、特別ディナーとセットでカウントダウンパーティーが催されます。ディナーの後はノリノリのダンスで盛り上がって、その後、チューリッヒ湖畔の花火を見物に出かける人もいます。新年の幕開けは、シャンパンで乾杯です。

276
/
365

1月1日

静かなお正月

　郊外の自宅では、年明けとともに教会の鐘の音を聞きながら、湖に上がる花火を眺めます。新しい年の幕開けです。お正月は日本とは異なり、特に大きな催しはありません。大晦日のカウントダウンと新年の幕開けを祝う盛大な花火が終わると、それまでは活気のあった街全体も元日の朝には嘘のようにシーンと静まり返ります。元日の午後に散策に出かけると、同じように散策している人々とすれ違います。お店もすべて閉まっていますし、「特にやることがない！」というのも共通なのでしょう。散歩道には、誰かが使った打ち上げ花火の燃えかすが、ところどころそのままになっています。家庭用の打ち上げ花火→121/365 を使っていいのは年に2回。建国記念日 →123/365 と大晦日から年明けだけと法律で定められています。少し寂しい気もしますが、大晦日までの街の盛り上がりのわずかな余韻を、道端の花火の名残に感じてしまうのが、スイスのお正月です。

1月2日

幸福の豚

富や幸運をイメージさせる豚は、世界的にも縁起の良い動物だとみなされることが多いようですが、スイスも例外ではありません。豚は新年を迎えるにあたってのラッキーアイテムです。季節を問わず愛されているてんとう虫 →54/365 と同じく、幸福のシンボルでもあります。大晦日から新年にかけて、お菓子屋さんには、豚の形のマジパンやチョコレート、豚をモチーフとした飾りなどが並びます。東スイスのスキーリゾート、クロスタースでは、新年に「幸運の子豚レース」が開催されます。1月1日の午後3時になると、駅前広場で10匹ほどの子豚のレースが始まります。集まった観客はレースの勝敗を賭けて盛り上がります。地元の人々や旅行者の応援の声が響く中、のんびりとマイペースで走る子豚達は、思いどおりに進んでくれないこともあるようです。たとえ賭けに負けても、レース後に振る舞われるアルコールや温かい食べ物に、訪れた人々の心もほのぼのとします。

1月3日

通常モード

　新年の仕事始めは、早いところでは2日という会社もありますが、1月3日が多いようです。スーパーも多少の営業時間短縮はありますが、2日からほぼ通常どおりに営業します。大晦日まで営業していたレストランは、年始は少し長めに休みます。新年に特別な行事はなく、お正月気分を味わえるような時間は、ほとんどありません。いわゆる日本の「三が日」が終わる前に、生活は通常モードに戻りますが、街の飾りはクリスマスのまま。お正月であることをつい忘れてしまいそうになるので、我が家ではせめて部屋くらいはお正月らしく飾り、おせちを作り、日本の年始気分を静かに味わうこともあります。一方で我が家の隣人は、少し暖かい日にはバルコニーでバーベキューパーティーを開いたりしています。階下から漂う肉の焼ける匂いと賑やかな話し声に、「新年早々、バーベキュー!?」と驚くことも！　ここはスイスなのだなと感じてしまうお正月の1コマです。

4 | Januar

1月4日

パノラマの散歩道

　自宅近くに「パノラマの散歩道」という名の遊歩道があります。スイスには「パノラマ」という言葉を冠したハイキングコースや散歩道が各地に存在します。遥か彼方にそびえるアルプスの山々が見える場所や、大小の美しい湖を眺めながら歩ける道など、各所からの景観がそれは素晴らしいので、さまざまな場所でそのように名づけられているようです。我が家の近くのパノラマの散歩道からも、晴れた日にはアルプスが眺められます。チューリッヒ湖畔の小高い丘の上にあるこの道は、近隣住民だけでなく、遠方からわざわざ車で来る人もいるくらいの人気ぶりです。付近に車を停めて歩く人々も多く、朝と夕刻前は散歩のラッシュタイムです。長く続く一本道はチューリッヒの市街地まで続いています。こんな散歩道であっても、雪が降った後の除雪対策 → 271 / 365 は完璧です。

1月5日

日帰りで行けるバーデンの温泉

　チューリッヒから日帰りで行けるスイスの温泉が、アーラウ州にある
バーデンです。古くからあった公共温泉は改修工事を終え、2021年
に「フォーティセブン（FORTYSEVEN）」という最新設備を備えた
ウェルネス・スパとして、リニューアルオープンしました。バーデン
の温泉は約2,000年前にローマ人により建設されたという古い歴史が
あり、ミネラルを含む温泉水は、古くから治療用として人々を癒し続
けてきました。温泉が湧くリマト川一帯には、ホテルや治療施設など
も建ち並んでいます。「フォーティセブン」という名前は、地面から
噴出する温泉水が47℃であることを表したもの。お湯の温度は浴槽
により35～38℃に調整されていて、日本の温泉に比べると少しぬる
めです。38℃くらいのお湯に浸かると、かなり日本の温泉に近い感じ
がします。リマト川とバーデンの街並みを見渡せる屋外の温泉が私の
お気に入りです。こちらの温泉に入浴するときは、水着を着用します。

1月6日

3人の賢者の日

　1月6日は東方の三賢者の日「公現祭」で、「ドライケーニヒ（Drei König）の日」と呼ばれています。ドイツ語で「3人の王様の日」という意味です。新約聖書の一節では、東方から3人の賢者がベツレヘムの小屋を訪問し、キリストの生誕を祝い、参拝を記念した日が1月6日だったと伝えられています。時を経て、言い伝えの「賢者」が「王様」に変わり、「ドライケーニヒの日」になったのでしょう。クリスマス気分もついに終了で、ほとんどの人がこの日までにツリーや飾りを片づけます →270/365 。お店にはこの日専用のパン「ドライケーニヒスクーヘン（Dreikönigskuchen）」が並びます。小さな丸型のパンがくっついた、まるで王冠のような形。ほんのり甘みのある味です。パンのどこかに王様の形のミニフィギュアが入っていて、見つけた人は大当たり！　このパンには紙の王冠が添えられているので、頭に乗せて王様気分で過ごせるという楽しいおまけつきです。

282
/
365

1月7日

サン・モリッツ

　世界中からセレブが集まることでも知られる「サン・モリッツ（St. Moritz)」は、ベルニナアルプスの名峰に囲まれた、年間300日以上が晴天に恵まれる高級山岳リゾートです。過去2回冬季オリンピックが開催されたことでも知られており、アルペンスキーやボブスレーなどの国際大会も行われました。冬季には、完全に凍結したサン・モリッツ湖の氷上に敷いたコースを走る、世界一美しい雪上競馬レース「ホワイトターフ」が開催されます。夏はハイキングなどのアクティビティも盛んです。メインストリートには数々のブランドショップや高級ホテルが軒を並べていて、心なしか歩いている人達もキラキラしているように感じられます。歴史ある「バドラッツ パレス ホテル（Badrutt's Palace Hotel St.Moritz)」の一部の部屋からは、サン・モリッツ湖が一望できます。氷河特急 →304/365 やベルニナ急行 →194/365 の発着地で、年間を通して世界中の旅行者が集まります。

1月8日

卵

　他の国々同様、スイスでは生卵を食べることは一般的ではありません。でも、採れたてで新鮮なものならば、生でも食べるという人もいるようです。実は私も同じ考えで、この国に住んで20年近く経ちましたが、生卵を食べて体調を崩したことはありません。濃厚な味わいで、おいしいと感じています。ただし、それは信頼できるファームの直売所 →97/365 で手に入る、採れたての卵に限ってのお話。スーパーで購入した卵を生で食べたことはありません。卵は常温でお店に並んでいます。火を通してから食べることが前提だからなのか、1か月くらい先の日付が消費期限として記されていることもあります。直売所のものも常温ですが、消費期限が記されていない場合もあり、「自己管理で」ということなのかも？　ばら売りしているので、卵を直接手に取って、備えつけの紙箱にほしい分だけつめて購入します。

1月9日

愛され続ける健康酒

　「アッペンツェラー　アルペンビター（Appenzeller Alpenbitter）」は、100年以上愛され続けている、スイスで最も有名な健康酒です。42種類ものハーブや花と根、スパイスを使用したリキュールは、化学成分を一切使用せず、100％天然の材料から造られています。ドクターも推奨する、日本の養命酒のような飲み物です。1902年の創業以来変わらない製法で、秘蔵のレシピを創業者家族で守り続けています。甘味の中にスパイスが効いた独特の味わいで、口に含むとハーブの香りが広がります。喉を通った後は少しカーッと熱くなるような感じがします。甘い味ですが、くせがなくて飲みやすいです。ストレートで飲む人もいれば、ソーダで割る人もいます。手のひらに乗るくらいの小さなボトルから大きなボトルまで、さまざまなサイズがありますが、ミニボトル（200ml）は3本入りで約600円とお手頃ですから、まずは少量から試してみるのがいいかもしれません。

1月10日

大雪

　約20年にわたるスイス暮らしで、大自然の脅威を感じた大雪の経験が2度あります。1度目は2006年の冬、バーゼルで。50年ぶりとなる大雪が記録された年で、バーゼルでは49cm、チューリッヒでは52cmの積雪が観測されました。雪が降れば速やかに除雪車 →271/365 が出動し道路はすぐにきれいになるはずなのですが、このときばかりはそうもいきませんでした。夜中に降り続いた雪は、除雪車が何度往復しても間に合わず、一昼夜道路の真ん中に深く積もったままでした。外に出れば、身体の3分の1くらいが埋まってしまうほど。倒木により立ち入り禁止となる区域もありました。多少の積雪ではびくともしない交通機関も、このときはトラムやバスが半日以上運休しました。2度目はチューリッヒ州に転居した後のこと。30cmほど雪が積もった年があり、この日も滅多に乱れない交通ダイヤが乱れ、チューリッヒ市内のトラムが運休し、市民の足にも影響を及ぼしました。

1月11日

業務用スーパー

　「アリグロ（ALIGRO）」という、業務用スーパーをときどき利用します。肉、魚、生鮮食品、菓子類などを中心に、アルコール類や生活用品まで品揃えも豊富です。スイスの食卓に欠かせない調味料→340/365も業務用サイズでずらり！　広い店内には、他のお店ではあまり見かけない個別包装のスイスチョコや大袋入りのクッキーが並んでいます。カフェやレストランで飲み物を注文すると、チョコが1～2個添えられることが多いのですが、飲食店の人達はこうした業務用スーパーで購入しているのかも。スイス産の牛肉、豚肉、鶏肉のブロック肉も種類が豊富で、なんといっても値段が安いのが魅力。基本的にスイスでは薄切り肉は販売されていませんので、牛肉や豚肉などのお肉は、お店によっては機械でスライスしてもらうか、ブロック肉を購入し、家庭用のスライサーを使うか、包丁を使用して自宅でカットしたお肉を使います。

1月12日

ロープウェイ

　スイス各地には 1,700 以上のケーブルカーやロープウェイがあります。ほとんどが観光地へ移動するときの交通手段として利用されているもの。地上から一気に山の上へ。我が家も各地への旅行の際、年に数回利用しますが、国内外の旅行者を中心に、利用者数は年間約 3 億人にもなるそうです。青く輝く湖や、壮大に連なるアルプスなど、息を呑むような絶景を眺めながらの空中散歩。高所恐怖症の私は毎回ドキドキしながら乗車しますが、不安がいつの間にか吹き飛んでしまうくらい素晴らしい景観に、いつも心を奪われます。登りはケーブルカーやロープウェイを使い、帰りはハイキングをしながら下るという楽しみ方もあります。山を往復するという健脚なハイカーもいて、ロープウェイから山歩きを楽しむ人々の姿を目にすることもあります。2023 年には、スイスの観光名所ツェルマット →317/365 とイタリアを結ぶ、新しいロープウェイも完成しました。

1月13日

冬晴れの日

　冬晴れの日、ランチタイムを過ぎた頃にチューリッヒ市内を歩くと、屋外のカフェテラスでお茶を楽しんだり、リマト川の川べりやチューリッヒ湖の湖岸に座ってくつろぐ人々の姿を見かけます。たとえ真冬でも、晴れた日の午後にはよくある風景です。気温は5℃以下。「寒くないの？」と聞かれたら、間違いなく「寒い！」と即答するような気温ですが、人々は太陽の光を浴びるちょっとしたチャンスを逃しません。寒くても厚手のコートを着て屋外で楽しく過ごすという様子からもわかるように、とにかくスイスにはアウトドア好きが多いのです。ある医師の報告によると、スイスに住む8割近い人々はビタミンD → 291/365 が不足しているそうですから、サプリで補給するだけでなく、できるだけ日光浴をしてビタミンDを補うようにしているのかもしれません。冬のテラス席には膝掛けやヒーターが用意されていて、お客さんが心地良く過ごせるように工夫しているお店もあります。

1月14日

プライベート・スパ

　スイスでは、気分をリフレッシュさせるスパ休暇も人気です。スパを備えた高級ホテルには、貸し切りにできるプライベート・スパのあるところもあります。滞在したことがあるホテルのコテージ・スパをご紹介してみますと、コテージは複数に分かれた部屋が並ぶ完全個室制。1〜2名用スパの中には、専用サウナ、温泉気分を味わえるソルトバス、寝転んでくつろいだり腰掛けて瞑想したりできるリラクゼーションエリア、そしてマッサージ台もあります。個室を出ると外には共用の温水プールもあります。公共サウナは全裸で男女混合→ 322/365の場所が多いのですが、こちらのプライベート・スパは水着着用です。室内の温度は、水着の上からバスローブを着てちょうど良いくらいの温かさ。リラックス効果を高める BGM の流れる中、カップルや友人同士、または1人で過ごす人もいます。全身マッサージを受け、ハーブティーを飲みながら、癒しタイムは続きます。

1月15日

トラムに注意！

　スイス各地にトラム →22/365 が走る都市がありますが、ときどき、人とトラムが接触する事故が発生します。チューリッヒ中央駅 →188/365 前には、歩行者用の横断歩道と信号が設けられていますが、トラム車両が左右両方向から発着する場所なので、歩行者は注意して横断しなければなりません。運転士は歩行者がよけることを前提として車両を動かすため、駅前に限らず、トラムと人が接触をするという事故が起こります。「公共交通の運行・進行を妨げてはならない」という法律もあるため、例えば、運行しているトラムやバスの進行を車が譲らずに事故となった場合、一般車両のドライバーに勝ち目はなく、多大な罰金が科せられます。それは歩行者の場合も同じで、トラムの進行を妨げる形で接触事故に遭ってしまった人が、トラムを遅延させたという理由で、交通局に補償金を支払わねばならなかったという話もあります。ところ変われば、交通事情もルールも異なるのです。

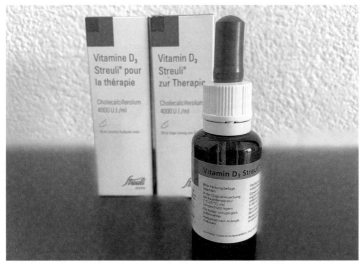

1月16日

ビタミンD

　真冬は日照量が少なく、日中でも薄暗い日々が続きます。そんな冬の日が長引くと、体内のビタミンDが不足しがちになりますが、スイスでは特にビタミンD不足の人が多いそうです。ビタミンDが足りないと、骨粗しょう症にもなりやすく、記憶力の低下にもつながるそうです。私はスイスに住んでから、原因不明のアレルギー性鼻炎を発症しましたが、医師によると、ビタミンDの不足が関与しているのかも？とのことでした。ビタミンDは、1日1回、コップの水にスポイトで十数滴垂らして飲む方法が一般的です。これを水に薄めずに、月に1度、原液のまま服用する知人もいて、びっくり仰天です。かかりつけの医師と相談した上でそのようにしているそうですが、特別な服用方法かもしれません。私は液体で摂取する方法にあまりなじめず錠剤派ですが、ビタミンDに限らず、水に溶かして服用する固形タイプの薬やサプリを好む人々も、スイスでは多いようです。

292
/
365

1月17日

古い習慣

　一部の地域や生活環境に残る古い習慣をご紹介します。

● チーズフォンデュと罰ゲーム──チーズフォンデュ →240/365 をする際、串に刺したパンをチーズのお鍋の中に落としてしまうと罰ゲームがお待ちかね。1曲歌う、ワインを振る舞う、隣の席の人にキスをするなど。集まるメンバーによって相違はありますが、意外と知られているチーズフォンデュ「あるある」です。

● 隣人同士の要望は、手紙を書いて伝え合う──隣人に直接苦情を伝えるということは、基本的にはしません。その代わり、苦情の内容を記して隣人の郵便受けに入れておきます。返事も、また手紙です。

● クリスマスの時期に、郵便受けにチップを置く──郵便配達員へ日頃の感謝の気持ちを込め、自宅の郵便受けにチョコや心ばかりのチップを置いておく習慣です。相手も心得ていて、住人の心配りをありがたく持ち帰ります。配達員と住人との無言のやりとりです。

1月18日

冬の装い

　「寒いですね」が、挨拶代わりになりそうなこの季節。1月は連日、日中でも氷点下の気温が続くことも多く、噴水まで凍りつくことがあります。チューリッヒ界隈の人々の真冬の服装は、高級ブランドからカジュアルスタイルまで、ダウンジャケットを羽織っている人が多いですが、中にはおしゃれ系のコート姿の人もいます。真冬は、女性も圧倒的多数がパンツスタイルで、スカート姿の人は滅多に見かけません。ブーツを履いている人も目立ちますが、ジーンズをブーツインして履くのがスイススタイル。昼間でも空気の冷たい日が多く、日差しの少ない日にはニット帽をかぶっているか、コートについたフードをしっかりかぶっている人が多い印象です。女性の中にはヘアバンドを着けている人もいます。ファッションではなく、明らかに防寒のため！　ヘアバンドで耳をすっぽり覆うか、耳当てをして歩いている若い人も見かけます。

1月19日

オランダからお取り寄せ

　オランダの「北海水産」という会社から、冷凍加工の魚を取り寄せ、
普段の食事に役立てています。同社はヨーロッパ内の国々へ販売網を
広げており、オランダ人の社長は、自ら日本で干物の作り方も学んだ
そう。お刺身、魚の切り身、揚げるだけの魚介類のフライなどが手軽
に食べられます。からっと揚げたかき揚げは、お蕎麦に添えて、かき
揚げ蕎麦にします。レンジで温めるだけのさつま揚げは、人気商品だ
そうです。ぶり、ひらめ、スズキ、トロなどの冷凍のお刺身は、我が
家の冷凍庫に欠かさずストックしています。お刺身はブロックの状態
で届くので、解凍してから切り分けます。日本にいた頃は、冷凍のお
刺身や魚の加工品を購入するなんて、まったくイメージできませんで
したが、今ではこうしたお取り寄せサービスを利用しながら、日本食
を味わっています。決して安くはない輸送量と税金がネックですが、
海のない国で、おいしい魚を味わえるのはありがたいことです。

1月20日

スノーハイキング

　春から夏にかけてハイキングをする山が、冬にはスキー場に様変わり！　スキーをしない人も訪れる冬の山では、各所にスノーハイキング専用ルートが設けられています。山へ辿り着くと、スキー場へ向かう人と、ハイキング目的の人用に、それぞれ分かれた案内板が立っています。案内板のとおりに道を進めば、コースを外れることなく、気軽にハイキングを楽しむことができます。慣らされた道を散策するなら普段使っている雪の日用のブーツで歩けますが、本格的に雪上ハイキングをするなら、専用ブーツを履き、トレッキングポールを使って歩かないといけません。吐く息は白いけれど、山の空気はキリリと澄んでいて心地良く、陽がさすと汗ばむことさえあります。途中で歩き疲れたら、山の食堂 →345/365 に立ち寄り、温かいスープやホットチョコレートで休憩。夏山のハイキングは最高ですが、冬晴れの日のスノーハイキングもまた、大自然を身近に感じられる醍醐味があります。

1月21日

ホーム・オブ・チョコレート

　スイスチョコレートの人気メーカー「リンツ（Lindt）」の本社は、チューリッヒの郊外、キルヒベルクにあります。2020年、本社敷地内にチョコレート博物館「ホーム・オブ・チョコレート（LINDT HOME OF CHOCOLATE)」がオープンしました。バスを降り立つと甘いチョコレートの香りがふんわり漂ってきます。博物館のメインアトリウムは高さ15mの吹き抜けで、同社の人気商品「リンドール」をイメージした9.3mもある巨大なチョコレート・ファウンテンが圧巻です。2階の展示エリアでは、有料のチョコレートツアーが開催されていて、リンツ社や他社のチョコレートの歴史も学ぶことができます。機械から流れ出る生チョコをスプーンですくって食べられる試食コーナーは大人気。リンドールを好きなだけ試食できるエリアもあります。1階にはリンツカフェと、チョコレートの売り場面積としては、世界最大級の広さを誇るショップが併設されています。

22 | Januar

1月22日

グライフェン湖畔

　チューリッヒ郊外のウスター地区にあるグライフェン湖。周辺は自然保護区で、アルプスを見渡す湖岸には湿地帯が続いています。春が近づく頃には、コウノトリ →68/365 が悠々と空を飛ぶ姿や、巣で雛を育てている光景が見られます。野趣あふれる場所です。湖岸の遊歩道は人々が季節を問わず散策しています。豊かな自然を近くで感じられる広大な敷地では、上空に鷹が飛び、冬空の下、バードウォッチングをする人々の姿もあります。散策コースや、サイクリングを楽しみたい人のための自転車専用道路、ローラースケート専用レーンもあり、1年を通して人々の憩いの場になっています。湖では白鳥が泳ぎ、ときどき餌を与えている人もいます。でも、人間が近づくと餌をもらえると思い、白鳥がかなり攻撃的になるので、注意が必要です。一見美しく優雅に見える白鳥も、餌を前にすると、野生本来の競争心をあらわにします。

1月23日

MIGROS のチョコ

　数あるスイスチョコレートの中で「どのメーカーが一番おいしいと思う？」とスイス人に尋ねると、かなりの確率で聞かれるのが「MIGROS のチョコ！」という返事。「MIGROS のチョコ」とは、アールガウ州に本拠を置く「フレイ（Chocolat Frey）」というメーカーの商品で、スーパー MIGROS →57/365 で販売されています。スイスには数多くの老舗ブランドのチョコがあります。高級チョコはもちろんおいしいのですが、その分値段もかなり高い！　一方で、MIGROS のチョコがスイス人に愛されるのは、日常的に食べるチョコとして手軽なのに、おいしいことが評価されているのだと思います。私も同感です。スイスのフラッグ・キャリアでもある SWISS →33/365 機内で配られるのも、SWISS のオリジナルパッケージに包まれた、フレイのミルクチョコなのです。スーパー MIGROS に行くと、ついつい MIGROS のチョコに手が伸びてしまいます。

1月24日

ゴルナーグラート鉄道

　「ゴルナーグラート鉄道（Gornergratbahn）」は、ツェルマット →317/365 の町とゴルナーグラート山頂を結ぶ登山鉄道です。マッターホルン →133/365 を眺めながら走る鉄道は、1898 年の開業以来 120 年以上、多くの人々を山の上へと運んでいます。山頂のゴルナーグラート駅はヨーロッパで最も標高が高い地上駅としても有名です。列車は、夏はハイキング、冬はウィンタースポーツを楽しむ人々で賑わいます。雪が積もり始めると、車内にはスキー板やスノーボードを持った人々の姿が目立つようになります。始発駅のツェルマットを出発すると、車窓からは三角屋根が並ぶ村の風景が広がります。そのうち眼前に迫ってくるマッターホルンに圧倒されながら、約 40 分で終点、ゴルナーグラート駅へ到着。山頂から眺める景色の美しさには誰もが感動します。真っ白な雪に覆われたマッターホルンは、迫力満点。夏は途中駅で下車して、絶景を楽しめるハイキングが最高です。

300
/
365

1月25日

「エングーテ」と「ツムヴォール」

　食事を始めるときの「いただきます」や、食後の「ごちそうさまでした」という言葉は、スイスにはありません。日本語の「いただきます」とはちょっとニュアンスが違うのですが、食べ始める前にドイツ語では「さあ、どうぞ召し上がれ」の意味で「グーテンアペティート（Guten Appetit）」と言います。スイスドイツ語ではそれが訛り、「エングーテ（En guete）」となります。「エングーテ」は、レストランで料理を運んでくれたウエイターやウエイトレス、または、料理を作ってくれた人が言う言葉です。言われたほうは「ありがとう」という意味の「ダンケ（Danke）」と返します。乾杯のときはドイツ語で「プロスト！（Prost !）」が一般的ですが、私が知っているチューリッヒ州のほとんどの人は、お互いの健康を願う意味合いの「ツムヴォール！（Zum Wohl !）」という言葉で乾杯します。スイスドイツ語とひとことで言っても、地域によってさまざまな表現や言い回しがあります。

1月26日

ハイジの物語のストーブ

　昔のスイスを彷彿とさせる、陶器で作られた大きなストーブ。デザインや形は地域によりさまざまですが、アニメ『アルプスの少女ハイジ』→142/365にも登場した、温もりのある、あのストーブです。現在は調度品として、食堂やカフェなどにインテリアの一部としてディスプレイされていたり、博物館に展示されているのを目にします。知人は家を改装するときに、古いストーブをどこかから買い取り、モダンなキッチンに設置しました。ストーブ内部は開閉式の小さな扉がついたかまどになっていて、その中でパンを焼くこともでき、オーブンとしても活用できます。冷えきった手を直接タイルに触れて温めたり、段になった部分に座ってお尻を温めたり……。かつて、暖房が十分ではなかった頃、外から帰ってきたばかりの冷えた身体を、ポカポカのストーブで温めていた人々の姿を想像すると、まるでハイジのいる世界へと誘われていくようです。

1月27日

「SUSHI」ブーム

　以前は、お寿司を食べたければチューリッヒの日本料理店に行き、ちょっと奮発するということが多かったものです。この数年はちょっとした寿司ブームになり、今やデパ地下や街のデリ、地元の人々が利用するお店でもテイクアウト用のお寿司が買えるようになりました。スイス人が経営する洋風のお寿司チェーン「yooji's」は、現在チューリッヒのバーンホフシュトラッセ　→65/365 の一等地にお店を構えています。海外仕様のお寿司は日本のものとは見た目も味も異なり、日本人の私にはまったくの別物（「寿司」ではなく「SUSHI」！）に映るのですが、地元の人々には大人気、大好評。オープン以来、いつも多くのお客さんで賑わっています。最近では、COOP や MIGROS →57/365 などのスーパーにも、パック入りのお寿司が並んでいます。中にはまだまだ、生の魚は苦手という人も多いので、生魚を使用しないベジタリアン向けのお寿司も人気のようです。

1月28日

ヴィニエット

　高速道路を走行する車両は、その年の「ヴィニエット（Vignette）」が必要です。利用し放題の年間パスのようなもので、価格は車1台につき年間40スイスフラン（約6,240円）。毎年1月31日までに更新が必要です。2023年まではステッカータイプのものを車のフロントガラスに貼る必要がありましたが、2024年利用分から電子化もされ、そちらを購入して電子登録をすれば、ステッカーを車に貼ったり剥がしたりする必要がなくなりました。電子ヴィニエットの発売日には申し込みが殺到し、予約サイトがパンク状態に近かったそうです。そういえば最近では、ステッカーのヴィニエットをフロントガラスに貼った車をあまり見かけなくなりました。従来のステッカータイプと電子タイプは価格も効力も同じですが、電子ヴィニエットは車のナンバーとデジタルリンクされていて、警察が車をチェックする際、その場で確認が取れるシステムになっています。

1月29日

氷河特急

　「氷河特急（グレッシャー・エクスプレス／ Glacier Express）」は、ヴァレー州のツェルマット →317/365 と、グラウビュンデン州のエンガディン地方 →165/365 のサン・モリッツ →282/365 の二大リゾートを結ぶ、スイスを代表する山岳列車です。291km の区間を、7つの谷と 291 の橋を通り、91 か所のトンネルを抜けて、約 8 時間かけて走行します。平均時速は約 34km のため、世界一遅い特急列車と称されています。天井まで届く大きな窓のパノラマ車両からは、雄大なアルプスの山々や野趣あふれる渓谷と川、美しい森、三角屋根が軒を並べるかわいい村などの眺めが素晴らしく、世界中の旅行者を魅了し続けています。途中、世界遺産に登録されているレーティッシュ鉄道アルブラ線の、最も有名な石橋 ランドヴァッサー橋 →176/365 を通過します。橋を渡りトンネルに入る瞬間が、鉄道マニア達の人気撮影スポットです。

1月30日

エクセレンスクラスの旅

　氷河特急 →304/365 では、1等車のさらにワンランク上のプレミアムサービスを提供する特別車両「エクセレンスクラス」がスタートしました。ツェルマット →317/365 とサン・モリッツ →282/365 のそれぞれの駅から1日に1両だけ、通常の「氷河特急」に連結して運行されます。専用カウンターでチェックインして乗車。座席は両側に1列ずつ、全20席が窓側です。バーカウンターもあり、バトラーによるサービスも充実しています。乗車中、鉄道会社の CEO サイン入りのエクセレンスクラス乗車証明が配られ、運行ルートや通過地点でのアトラクションが表示される iPad が貸し出しされます。ウェルカムシャンパンの後は、フルコースの食事と、グラウビュンデン州のワインが各料理にペアリング（1皿ごとに合うワインが提供されること）されます。高級レストラン並みの料理に舌鼓を打ち、雄大な景色を眺めながら、8時間が瞬く間に過ぎゆく豪華列車の旅です。

1月31日

大人気のホットチョコレート

「カオティーナ（Caotina）」は50年以上にわたり、チョコレート大好きなスイスの人々に人気のチョコレートドリンクです。温めたミルクに溶かして飲むホットチョコレートなのですが、夏場は冷やしてもおいしくいただけます。公式サイトによれば、スイス人の92％以上が、カオティーナに精通しているのだとか。ある知人の話では、スイスから外国へ出張した際、出張先に転勤していた同僚に「お願いだから、スイスでカオティーナを買ってきてほしい！」と懇願されたそうです。心も身体も疲れたときに、外国にいてもこのホットチョコレートに癒しを求めるスイス人は少なくないのかもしれません。ハイキングに出かけたときなどに口にすると、優しく甘い味わいに、私も心がほっとします。ネットショップで手に入る国もあるものの、それはごく一部で、ほとんどの国では販売されていません。スイス国内では一般のスーパーで購入できます。

2月1日

春を呼ぶカーニバル ファスナハト

　この頃になると、寒い冬を耐え忍んだ人々が春の訪れを喜ぶ「ファスナハト（Fasnacht）」という伝統的なカーニバルが、スイス各地で開催されます。最も有名なのがバーゼルのファスナハト。3日3晩開催され、普段はおとなしい人達が、まるで人が変わったかのように盛大にお祝いします。スイスに来て最初に住んだ街がバーゼルなのですが、ファスナハトでの人々の豹変ぶりには驚きました。18,000人近い人々がマスクや仮面をかぶり、あつらえた衣装を身につけ、いくつものグループに分かれた太鼓隊やピッコロ隊が、「グッゲ」という音楽を演奏しながら町をパレードします。見物者は、「プラケット」というバッジを購入し、よく見えるところにつけておきます。バッジがないと、山車に乗ったナマハゲのような風貌のワッギスに紙ふぶきを投げつけられたり、追いかけられたりして、大攻撃を受けることに！バッジをつけた人には、山車の上から、花や果物が与えられます。

2月2日

凍ったチューリッヒ湖

チューリッヒ湖はよほどのことがなければ凍らないといわれています。でも過去に、15cm の厚い氷が張った、凍りついたチューリッヒ湖を1度だけ見たことがあります。2012年の冬のことでしたが、それはとても稀なことでした。凍った湖では、氷上を歩く人々がいました。おそるおそる氷の張った湖面に片足だけ乗せてみると、先陣を切った人たちから、「完全に凍っているから、大丈夫だよ」との声。普段は船が停泊し、白鳥などが泳いでいるところですが、そのときの湖面は厚い氷で覆われ、まるでスケートリンクのようでした。チューリッヒ湖は三日月型をした湖ですが、州をまたいでいるため、同じチューリッヒ湖でも、凍っている場所とそうでない場所があります。今となっては想像しがたいことですが、1963年にチューリッヒ湖は完全に凍結し、人々は対岸へ歩いて渡ることができたそうです。当時を知る人の話によると、チューリッヒ州ではとても珍しい出来事だったそうです。

2月3日

とろーりチーズのラクレット

　「ラクレット（Raclette）」は、ヴァレー州のチーズ料理です。典型的なヴァレー州の伝統では、大型のラクレットチーズの半分を暖炉（だんろ）の火のそばでゆっくり溶かしてから、その溶けた断面を目の前で削ぎ落としてお皿に乗せ、トロトロになったチーズをジャガイモとからませて、熱々でいただきます。名前の由来は、フランス語の「削る」を意味する言葉だそう。冬の屋外イベントや、クリスマスマーケットが開催されるシーズンには、必ずラクレットの屋台が登場します。近年では直火ではなく、チーズの断面を加熱する電熱器具を使用しているところがほとんどのようです。家庭用には、ラクレット用の薄切りチーズを小さなトレイに載せて加熱する小型のラクレットグリルなどが普及しています。チーズ料理に特化した専門レストランを訪れると、チーズフォンデュ →240/365 とともに、今でも暖炉の前で、ヴァレー州の伝統的なラクレットを味わうことができます。

2月4日

アート・オン・アイス

　冬のイベントの1つが、「アート・オン・アイス（Art on Ice）」です。ヨーロッパ最大級のアイスショーで、有名スケーター達とアーティストによるスケートと歌のコラボレーションです。楽曲の演奏、コメディのパフォーマンス、サーカスなどもあり、内容は盛りだくさん。過去には、スイスを代表する元スケーターで、指導者として活躍中のステファン・ランビエールコーチをはじめ、日本からは、荒川静香さん、高橋大輔さんなど、豪華な出演者が参加したことでも話題になりました。いつもはライブなどが開催される会場のホールに氷が張られ、スケートリンクに様変わりします。アリーナ寄りの席は、観客とスケーターの距離が驚くほど近く、目の前で繰り広げられる出演者達のジャンプやスピンは迫力満点。着氷したときのスケート靴の音が聞こえるほどです。指笛、「ブラボー」の歓声の嵐が沸き起こり、観客のテンションも最高潮。会場全体が熱く盛り上がります。

5 | Februar

2月5日

レシュティグラーベン

　スイスドイツ語で「レシュティの溝」という意味の「レシュティグラーベン（Röstigraben）」という言葉を耳にすることがあります。ドイツ語圏とフランス語圏の文化的相違を語る際、双方を隔てる目には見えない溝を、国民的料理でもあるレシュティにちなんで、こんな言葉で揶揄することがあるのです。スイス西部に位置する川で、ドイツ語でサーネ（Saane）、フランス語でサリーヌ（Sarine）と呼ばれるあたりが双方の言語圏の境界で、文化的な境界でもあり、その地域を境に国民の意見が分かれるといわれています。ドイツ語圏では料理のつけ合わせにレシュティを食べますが、フランス語圏ではあまり食べないことから、そう呼ばれるようになったのだとか。学校ではともに双方の言語を学び、一見お互い理解し合っているように見えますが、4つの言語を公用語とするスイスには独自の文化や習慣があるので、さまざまな面で考え方の食い違いが生じることもあるようです。

2月6日

日本スイス国交樹立150周年

　2014年2月6日に、日本とスイスは国交樹立150周年を迎えました。その記念として日本とスイスの共同発行で、スイスの山と春、日本の富士山と桜が描かれた記念切手が両国で発売され、話題となりました。さらに、両国の友好の証として、日本の情景を描いたラッピング車両がスイスに登場しました。在スイス日本国大使館がスイス政府観光局と共催し、スイス連邦鉄道（SBB）の協力を得て、期間限定で実現したのです。いつ、どの区間を走るかなど、まったくオープンにされていなかったため、「出会えたらラッキー！」だったこのラッピング車両。ある日チューリッヒ中央駅を歩いていると、偶然にもホームに停車しているところに遭遇。車体には、桜、富士山、鎌倉の大仏、花火、舞妓さん、東京スカイツリーなど、日本をイメージする美しい景色や風物詩が鮮やかに描かれていました。日本人なら誰が見ても嬉しくなるような、そんな素敵なデザインでした。

312
/
365

2月7日

サイレンが鳴る

　年に1度、毎年2月第1週目の水曜日の午後、約2時間にわたり、スイス全土にサイレンが鳴り響きます。パトカーや消防車のサイレンではありません。窓を閉めていてもはっきりと聞こえてくる奇妙な音は、災害などの有事に備えた訓練のためです。予備知識がなければ「何ごとか!?」と思ってしまいそうなほど、大きな音です。政府は、緊急事態に使用するシステムとして、全国に約7,200ものサイレンのネットワークを維持しています。大規模な洪水などの自然災害や原子力発電所でのトラブルなど、差し迫った脅威があるときは、サイレンを鳴らして国民に知らせるのです。もともとは第二次世界大戦中に爆弾などの警告を国民に伝えるために始めたそうで、その後もサイレンのシステムはそのまま保持されています。訓練の日以外にサイレンが鳴った場合、ラジオをつけて自宅待機し、隣人の安否をお互いに確認し合った後、必要であれば避難することになります。

314
/
365

2月8日

ワールド・スノーフェスティバル

　グリンデルワルト →172/365 ではこの時期、「ワールド・スノーフェスティバル（World Snow Festival）」という雪の彫刻祭が開催されます。もともとは「さっぽろ雪祭り」からヒントを得たこのお祭り。1983年に札幌の自衛隊員7名と、そのグループの総勢12名がスイスを訪問し、雪で巨大な「ハイジの雪像」を造ったことがその発祥です。世界を舞台に活躍する各国のアーティスト達が国別のチームに分かれ、毎年与えられたテーマに合わせて、3mもある雪のブロックからフィギュアや彫刻をデザインします。作品の制作風景は間近で見学することができます。参加チームは10か国ほど。年々参加希望国が増え続ける中、あえてエントリー数を絞っているそうです。国ごとに、腕と技術で創造性を競い合うのがポイント。審査員と観客の投票で採点され、最終日にその年の優勝国が決定します。

2月9日

コーヒークリームの蓋コレクション

1980年後半から90年代にかけて、コーヒークリームの蓋（ふた）のコレクションが大流行しました。小型のプラスチック容器の上に貼られたフィルム（蓋）には、さまざまなモチーフが描かれていて、現在にいたるまでそのデザインは定期的に変わっています。1960年代からすでに蓋の収集を始めていた人々もいましたが、1980年代に入ってこのコレクションに関する新聞記事が掲載されて一気に注目が集まり、ブームに火がつきました。1990年代初頭にはブームがピークを迎え、性別や世代を超えたコレクター数は約3万人にもなると推定されるそうです。蓋を保存するための専用ファイルもあり、切手のコレクションと似ている気もします。風景、乗り物、動物、人物像など、使用した後すぐに捨ててしまうのはもったいないくらい美しく、緻密（ちみつ）なデザインです。ブームの頃には、珍しいものが高額で取引されたこともあったそうです。

2月10日

リコラのハーブキャンディ

　ハーブキャンディで親しまれる「リコラ（Ricola）」は、1930年にスイスで創業して以来、現在も家族経営で続いています。世界中の人々から愛されるオリジナルハーブキャンディの秘伝レシピは、1940年以来今もほぼ変わらないまま、13種類のハーブエキスから作られています。商品は日本を含め、世界中に輸出されています。スイスでは、おなじみの小型の箱入りや袋入りの他、お土産としても喜ばれる限定缶入りの商品も発売されています。マッターホルン →133/365やアルプスを背景にした花々など、スイスらしさあふれるデザインで、スイスファンにはたまりません。缶にはオリジナルのハーブ味を含む4種類のキャンディがつまっていて、1個ずつがちょうど良いサイズの個包装なので、持ち歩くのにも便利。スイスの気候は乾燥しているので喉の潤いにも気をつけたいところ。外出する際には、「あめちゃん」感覚で、リコラのハーブキャンディを持ち歩いています。

2月11日

冬のツェルマット

　赤と白のクロスの国旗とともに、スイスを象徴するものとして描かれることが多いのが、マッターホルン →133/365 です。標高1,620mにある麓の村「ツェルマット（Zermatt）」から眺める雪に覆われたマッターホルンは、神々しいほど輝いています。冬季の気温は氷点下が続きますが、空気が澄みきっていて気持ちよく、夏の爽やかさとはまた違う魅力。夏は窓辺に花々が咲き、ハイキングを楽しむ旅行者で賑わう村は、冬はスキー板やスノーボードを片手に歩く人々であふれています。お店はどことなく静かで、夏と冬ではまったく別の場所にいるかのようですが、世界中からの旅行者を魅了するのはいつも変わりません。少し高い場所から村を見下ろすと、雪が積もった三角屋根の家々とマッターホルンの景色が、まるで1枚の絵画のよう。ゴルナーグラート鉄道 →299/365 の終点駅、ゴルナーグラート展望台からは、村とは異なる角度でマッターホルンが眺められます。

2月12日

ジュネーブの名店 ステットラーのチョコ

　「ステットラー（Stettler）」は1947年に、ジュネーブでポール・ス
テットラー氏によって創業された老舗チョコレートメーカーです。チ
ューリッヒ地区にはステットラーの店舗がないため、ときどき、お取
り寄せをすることがあります。ヘーゼルナッツを使った伝統的な生チ
ョコ「パヴェ・ド・ジュネーブ」（ジュネーブの石畳）が、お店の代
表作として知られています。「デラックス・コレクション」は、まる
で宝石箱のよう。蓋を開けるとキラキラした美しいチョコレートがつ
まっています。柚子などを使用したチョコは繊細で上品、エレガント
な味わいです。ダークチョコをコーティングしたオレンジピールのチ
ョコは、ワインに合わせてもおいしい。ジュネーブの店頭では、チョ
コクロワッサンも人気の商品。量り売りの板チョコや、ホールケーキ
なども購入できます。バレンタインシーズンには一部のチョコレート
が、日本国内の百貨店などで限定販売されることがあります。

2月13日

スイスの徴兵制度

　スイスには軍隊があり、徴兵制度があります。市民権を持つ18歳以上の男性には兵役の義務があり、女性は志願制です。兵役に参加できない事情がある場合は、代替の民間サービスに従事する義務があります。兵役は1度だけでなく、基礎訓練を終えた後も一定期間、数回に分けて復習の訓練が行われ、本業に就いていても仕事を休んで兵役に行きます。各地で開催されるイベントの手伝いも軍の任務の一部で、ヨーデルフェスト →90/365 やスイス相撲の大会などでは、テントの設営や来場客の整備をする兵士の姿を目にすることもあります。兵役帰りや、兵役の任務中に週末を家族の元で過ごす軍服姿の青年を駅や街中で見かけることがあり、時には銃を携えた姿にドキッとしますが、もちろん弾は抜かれています。おっとりした印象のスイスの若者達が、兵役を終えた後はどことなくたくましく頼もしく見える気がするのは、兵役での特別な体験が人生の糧となるのだろうと感じています。

PÂTISSERIE CŒUR
CRÉATION VALENTIN

2月14日

バレンタインデー

　バレンタインデーが近づくと、チョコレート屋さんには色とりどりにデコレーションされたギフト用の箱が並び、お花屋さんには薔薇の花束が目立ちます。近年は、カップル用に「バレンタインメニュー」を用意するレストランも出てきました。ハートの模様や形をした、赤やピンクのバッグやポーチのディスプレイも目にします。バレンタイン当日は、花束を抱えて街を歩く男性の姿もちらほら。以前は男性から女性にプレゼントするのが主流でしたが、近年ではお菓子屋さんの看板に「für sie und ihn（彼女と彼のために）」と書かれていることもあり、男女問わず、贈りたい人にプレゼントするようになってきています。変わらないのは、赤を基調とした商品が多いこと。お菓子屋さんでは、やっぱり赤が目立ちます。バレンタイン特別バージョンの真っ赤なハート型のケーキも登場します。

2月15日

「シャスラ」という品種のワイン

　スイス人は、かなりのワイン好き。スイス産のワインは、高品質を保つためにブドウの生産量が制限されており、輸出される量はほんの1.5%ほど。ほとんどが国内で消費されています。ワインの生産量を地域ごとに見ていくと、ヴァレー州（33%）、ヴォー州（26%）などに次いで、北東スイス地方、ジュネーブ州、ティチーノ州などとなっており、約250種の品種のブドウが各地で栽培されています。シャスラ →160/365 という稀少な品種のブドウは、ヴォー州ローザンヌからヴァレー州シオンの間、レマン湖一帯に広がるラヴォー地区で栽培されています。ヴァレー州では「ファンダン（Fendant）」という名称で親しまれています。シャスラで作ったワインは、辛口で柑橘類の淡い風味があり、スイス人が好きなチーズ料理によく合い、食欲も進みます。スーパーのお酒コーナーでも、この品種のワインをよく見ます。比較的求めやすい価格なのも魅力です。

Ausschliesslich
Nacktbereich

Only naked area

Пожалуйста снимайте
купальную одежду
перед входом на территорию
сауны

2月16日

びっくり！ スイス式サウナ

　「スイスのサウナは、裸で入らねばならない」とは聞いていましたが、まさか男女共同のサウナで、一糸まとわぬ姿になるなんて、想像もしていませんでした。初めてその光景を目にしたときには、それは驚いたものです。基本的にサウナは混浴です。厚いドアを開け、サウナ部屋へ足を踏み入れると、中にも更衣室があり、そこで水着を脱がなければなりません。サウナは温度やタイプにより小部屋に分かれています。「サウナ内はタオル使用不可」と記されていることが多く、水着やタオルを使用してはならない場所がほとんどです。衛生面に配慮してのルールなのだとか。新しくできた高級ホテルや、改装されたリゾートホテルのスパ併設のサウナでは、女性専用も増えつつあります。とはいえ、裸で入るのは同じ。ヨーロッパ内でもスイスは特別なルールのようで、他の国ではサウナは男女別々で、かつ水着を着用して利用するところがほとんどのようです。

2月17日

国民的ドリンク「リヴェラ」

　国民が愛する飲み物といえば、ノン・アルコール炭酸飲料「リヴェラ（Rivella）」。スイスでスイス人により発明されたドリンクで、1952年以来、今でもずっと親しまれています。成分の 35% が牛乳の乳清（ホエー）です。リヴェラに使用される以前は、乳清は廃棄されていたそうですが、栄養素が豊富に含まれる液体をなんとかうまく活用できないかと、試行錯誤の研究の末にできあがったのが、このリヴェラでした。フレーバーは、オリジナルの「赤（ジンジャー）」に加え、低カロリーのもの、グリーンティー、グレープフルーツ、スイスミントなどいろいろあり、糖分控えめのものも発売されています。牛乳の味はほとんどせず、フルーティーです。オリジナルの「赤」は、ジンジャーエールにも似た味わい。栄養価が高いので、スポーツやハイキングに携帯する人もいます。手のひらに載るくらいのミニボトルは、ちょっとだけ飲みたいときに重宝します。

2月18日

木彫りの工芸品

　観光地のお土産屋さんには、木彫りの工芸品がたくさんあります。それらのほとんどは、熟練の職人が手がけた、ハンドメイドの伝統工芸品です。値段は決して安くはありませんが、素朴で温かみがあり、とてもスイスらしいものといえます。よく見かけるカラフルな牛の小物は、真正面を向いているものや、草を食んでいる様子を連想させるものもあり、ユニークです。『アルプスの少女ハイジ』 →142/365 に出てきそうな山羊や、ヨーゼフのようなセントバーナード犬、伝統楽器を持ったアルプス地方の人をモチーフにしたものなど、1つ1つが丁寧に手作りされていて、愛着が湧いてきます。ベルナーオーバーラント地方にあるブリエンツ →168/365 は、伝統的な木彫り製品で知られる村で、メインストリート沿いには木彫りの工芸品を扱うお店が軒を並べています。木彫りを学びたい人が通う学校もあります。

2月19日

スポーツ休暇

　冬季は多くの人々がスキーを楽しみます。子ども達の学校は、州によって多少前後しますが、2月にスポーツ休暇が設けられていて、約2週間のお休みです。保護者も同じ時期に休暇を取って、子連れでスキー・ホリデーへと出かける家庭もあります。仲間同士で集まりスキー休暇を楽しむ人や、山間部にシャレーやホリデーマンションなどの別荘を持っている人もいます。夏はハイキング、冬は朝から晩までスキー三昧で、毎年同じ場所で休暇を過ごす人々も少なくありません。祝日やクリスマス休暇の他に、大人も夏と冬に2週間休むのは、年間4週間の休暇が定められているスイスでは当たり前。企業によってはさらに長い休暇を取得している人もいます。ある友人の勤務先では、同僚達の間でスキー休暇の希望日が重なり、全員がほぼ同じ期間だったため、部署を丸ごと2週間お休みにしてしまった！という、仰天するような話も聞いたことがあります。

327

326
/
365

2月20日

スノードロップ

　2月に入ってしばらくすると、平野部ではそろそろ雪が解け始めます。自然に囲まれた散歩道を歩いていると、スノードロップの花が咲いているのを見かけるようになります。日本では、マツユキソウ（待雪草）とも呼ばれる春を告げる花で、ドイツ語圏では「Schneeglocken（シュネーグロッケン）」という名前です。寒さに強く、球根は土深いところで冬を越し、雪解け後、少し暖かくなる頃に花を咲かせます。山に囲まれた国では各地の気温に差があるため、この花を見つける時期にも地域差があります。チューリッヒ湖畔の町では、2月中旬頃からです。毎年この花を見かけると、長い冬がもうじき終わるのだと、明るい気持ちになれます。実際に本格的な春がやってくるのはもう少し先なのですが、心の中の春は始まりです。真っ白なスノードロップの次は、黄色や紫の鮮やかなクロッカス。こちらは3月初旬頃から咲き始めます。

21 | Februar

2月21日

メイド・イン・チューリッヒ

　最近、チューリッヒの街でショーウィンドウを眺めながら歩いていると、「Made in Zurich（メイド・イン・チューリッヒ）」と示された商品が並んでいるのをよく目にするようになりました。「Made in Zurich」は、チューリッヒ市での生産と販売を促進しようという目的を持つ、地域活性化のアソシエーションで、チューリッヒ地元生産品の公式称号としても認知されています。有料の登録制で、規格にパスした生産者がチューリッヒ市で製造した自社製品に「Made in Zurich」と表示ができるそうです。若手デザイナーによるチューリッヒオリジナルのアパレル商品から、新進気鋭のショコラティエのチョコレート、ジンやウィスキーなどのアルコール類まで、お土産にしたくなるような商品や、つい手に取ってみたくなる品々が次々と登場しています。若者達に新規ビジネスの機会が与えられる点においても、スイスらしさを感じています。

328
/
365

2月22日

シャレースタイル

アルプス地方の山間部を訪れると、典型的な三角屋根のシャレース
タイル（山小屋風の木造建築）の家屋が目立ちます。冬の間は連日深
い雪が降り積もるため、屋根に積もった雪が滑り落ちるよう設計され
ているのです。そんなシャレーがチューリッヒに登場するのが、毎年
チューリッヒ中央駅 →188/365 で開催される「ウィンターアリーナ
（Winter Arena）」という期間限定のイベント。本物のスキー休暇に出
かけられない人々にも楽しんでもらおうと、スキー休暇の雰囲気を体
感してもらうための試みです。樹齢100年を超える古い木材で作られ
た本格的なシャレーは、チーズフォンデュ →240/365 のレストラン
になっています。クリスマスマーケット →245/365 が開催されるこ
とでも有名なチューリッヒ中央駅の広場では、季節ごとにさまざまな
イベントが開催されます。駅構内なので、地元の人々ばかりでなく、
旅行者でも気軽に立ち寄れるのも魅力です。

2月23日

マルクト（市場）

　チューリッヒ市内とその近郊の朝のマルクト（市場）は、週に何度か開催される大規模な朝市から、週に1度だけ開かれる小規模なものまで、さまざまです。フレッシュなフルーツや野菜、お花、チーズやソーセージなどの他、場所によっては新鮮な魚も手に入り、食品を中心にいろいろなものが並んでいます。市内のビュルクリプラッツの朝市は週2回、火曜日と金曜日の午前6～11時まで開きます。新鮮な食材やお花を手に入れようと、早朝から多くの人々が集まります。毎回訪れる人はお気に入りのお店が決まっているようです。野菜やフルーツは個別に値段がついているか、重さを量って購入する量り売りです。2月から3月にかけて春の訪れを知らせるミモザやチューリップ、水仙、中には観賞用のマグノリア →354/365 の枝木まで並び、色とりどりの季節の花は、見応えがあります。

24 | Februar

330
/
365

2月24日

アッペンツェルの伝統菓子 ビバリ

　ジンジャーチョコレートやジンジャーティーなど、スイスでも生姜風味の嗜好品（しこうひん）は人気です。生姜テイストのお菓子で最も有名なものといえば、アッペンツェル地方の伝統菓子「ビバリ（Appenzeller Bärli-Biber）」です。スーパーでも販売されているこのお菓子は、牧歌的なアッペンツェル地方のパッケージデザインがとてもかわいらしいのです。見た目は日本のおまんじゅうのようですが、食べてみると中身の餡（あん）のような部分が生姜味で、「スイス風ジンジャー味のおまんじゅう」という表現がしっくりきます。このスイスの伝統菓子は、疲労回復にも良いということで推奨されています。知人のスイス人いわく、甘さの中にジンジャーや数種類のスパイスが効いていて、「激しいスポーツやスキーの後には必ずこれを食べる」のだそう。常温保存できて賞味期限も長く、スイスでは珍しい個別包装なので、日本へのお土産にも喜ばれそうな気がします。

25 | Februar

2月25日

コーヒーカプセルはリサイクル

　今や全世界で大人気の「ネスプレッソ（Nespresso）」のカプセルコーヒーですが、ネスレグループの本社があるスイスでは、使用済みカプセルを再利用したリサイクル商品が販売されたことがありました。カプセルを押しつぶして、生活用品や文房具などに商品化したのです。同じくスイスの企業、ビクトリノックスとコラボしたカプセルの「スイスアーミーナイフ」は、「リサイクル＋スイスの商品」のアイデアがこの国らしさを象徴しているようです。スイスでは、使用済みのカプセルを指定の袋に入れて自宅の郵便受けに入れておくと、郵便配達員さんが回収してくれるシステムがあります。ネスプレッソブティックに持ち込むことも可能です。空き瓶や空き缶を回収する場所に、コーヒーカプセル専用置き場が設置されていることもあります。ネスプレッソマシン愛用者の私も、使用済みカプセルはリサイクル用に回収してもらっています。

2月26日

ロイカーバートの温泉

　「ロイカーバート（Leukerbad）」の温泉は、スイス・ヴァレー地方の岩山に囲まれた山あい、標高 1,411m の谷間に佇み、アルプスの山々を一望できる絶景の地にあります。ローマ時代から旅人達の間で親しまれてきた歴史ある秘湯で、名湯としても知られています。源泉からは1日約390万リットル、51℃の高温のお湯が湧き出ているヨーロッパ最大級の温泉です。町の約20か所にある公共温泉施設とスパリゾートホテルで、このお湯を利用しています。温泉にはカルシウムとミネラルが豊富に含まれていて、効能は肩こりや筋肉痛など。スイスのアスリート達もここでトレーニングを積み、温泉で身体の筋肉をほぐすこともあるそうです。宿泊したホテルの温泉に浸かってみると、お湯は39℃前後に調整されていて、ついつい長湯をしてしまいそうなほどの心地良さ。一見、温水プールに見えますが、れっきとした温泉ですから、湯あたりしないように浸かり過ぎには注意が必要です。

2月27日

湖に浮かぶ移動シアター

　チューリッヒ湖岸を歩いていると、ひときわ目立つ停泊中の船があります。チューリッヒ湖に浮かぶ劇場「ヘルツバラッケ（Salon Theater Herzbaracke)」です。湖を船ごと渡る移動式のシアターで、20年以上前に登場しました。人々は船の中のシアターで、飲んだり食べたりしながら、ショータイムを楽しみます。船は湖岸の町を移動して停泊し、公演します。100年前のオーケストラスタイルで開催されるショーは、数々の珍しい楽器の演奏、歌、マジックなど、バラエティに富んだスタイルで、エンターテイメント性の高いパフォーマンスが繰り広げられます。スタイリッシュな劇場内の装飾や、ウエイトレスのコスチュームも凝っていて、そんなところも見どころだそうです。公演が終了すると、次の興行地へと、湖の上をシアターごと移動していきます。チューリッヒ湖畔の自宅の窓から、このユニークな外観の船が湖を横断するのを初めて見たときは、驚きました。

2月28日

チョコレート手作り体験

　スイスを代表するチョコレートメーカー「リンツ」は、1899年から100年以上、本社敷地内にある工場でチョコレートを製造しています。近年では、見学者が参加できる魅力的なプログラムがあることでも知られています。2020年にオープンしたチョコレート博物館 ホーム・オブ・チョコレート →296/365 では、事前予約をしてチョコレート作りの体験ができます。同社オリジナルの熊の形の型にチョコレートを流し込むだけの子ども向けの入門コースから、リンツチョコと最高の材料を使用して、自分だけのシャンパントリュフやプラリネチョコを作る大人向けの本格的なコースまで、体験コースはさまざま。企業のレクリエーションの一環として、チョコレート作りを楽しむ大人達の姿もあります。少し形は不恰好（ぶかっこう）でも、自分で手作りした世界に1つだけのチョコレートの味は格別です。

3月1日

限定の切手

　大きな行事やメモリアルイヤーなどには、記念切手が発売されます。ヨーロッパではクリスマスカードを送る習慣があるため、季節的なものではクリスマスをモチーフにした切手も発売されます。ただ、この数年の自分自身の行動を振り返ると、手紙を書くことも受け取ることもめっきりと減り、SNSなどでのやりとりが増えました。そのせいか、切手を使用する機会も減ってしまいましたが、美しい切手が貼られた手紙は、受け取った相手にも喜んでもらえそうな気がします。私は特に収集家というわけではありませんが、2022年に発売された、アルプスの山の絵が描かれたスイスらしさ満載の切手はお気に入りです。過去には、スイスチョコレート製造協会100周年を記念した、実物サイズの銀の紙に包まれた、触れるとチョコの香りが漂う切手シートもありました。木製の切手、刺繍の切手 →46/365 など、珍しい素材のものも発売されています。

2 | März

336
/
365

3月2日

スーパーでのお買い物

　物価は日本と比べると、ほとんどのものが高額です。外食はかなり高めだと思います。日本とスイスの物価を比較するのによく用いられるのが、マクドナルドのビッグマックの価格 →102/365 です。スーパーで生活用品を買うときに、意外と安く感じるのは、ミネラルウォーター、一部の野菜、バター、牛乳、ヨーグルト、チーズ、スイス産の牛乳を使用した高品質の乳製品など。トイレットペーパーやティッシュペーパーなどは高く、スイスで暮らし始めた頃はティッシュ1箱が200円以上するのを見て驚いたものです。また、1,000円以下の花束を見つけるのもなかなか難しいです。野菜やフルーツはまちまちですが、日本では高級なイメージのあるメロンは、夏場は500円以下で購入できます。形は少々不揃いでも、甘くておいしいです。2月頃から登場するアスパラガス →6/365 も、旬を迎える頃には、1kgの束が1,000円以下で買えることもあります。

3月3日

誕生日の祝い方

　誕生日の祝い方は日本とは少し違います。学校や職場では、「今日は誕生日」と自ら宣言！　子どもは、学校で休み時間のおやつにできるよう、保護者が焼いたケーキなど、ちょっとしたお菓子を持参し、クラスメイトに配ります。大人も同様に、自分の手作りか、家族に焼いてもらったケーキなどを職場に持参するのが恒例です。誕生日を知った同僚達は「お誕生日おめでとう」と、両方の頬にチュッチュッチュッと3回キスをしてお祝いします。「0」がつく歳になる誕生日には、自分で誕生会やパーティーを開いたり、レストランで盛大な食事会を開いたりする人もいます。私も何度か招待されたことがあり、プレゼント →115/365 持参でお祝いをしました。誕生日を迎える本人が、すべての費用を持つのが一般的なので、誕生日を祝うにもすごい出費になるのだなと、いつも驚かされています。

3月4日

ルガーノのデザインホテル

ティチーノ州ルガーノ市内の「ザ ビュー ルガーノ（THE VIEW
Lugano）」は、ルガーノ湖を一望できる見晴らしの良い高台にあるデ
ザインホテルです。部屋のドアを開けると、目の前にルガーノ湖の美
しい景色が広がります。室内はとても斬新なレイアウトが印象的です。
ベッドとソファのあるリビング脇にバスタブがあり、部屋の両脇の壁
が鏡です。バスタブの前には独立したシャワーブース、その隣がトイ
レ。シャワーはレインフォールシャワーで、照明が虹色に変化します。
シャワーは1色で十分な気がしましたが、発想は新しくて面白い！
室内の照明は全部自動で、人が動くと各所が点灯するシステムです。
部屋のデザイン全体がモダンで、スイスの一般的なホテルと比較する
と、ちょっと珍しいタイプなのかもしれません。デザインホテルだか
らなのか、希望すればトイレットペーパーの色もピンク、黒、茶、白
から選択できました。ちなみに私は、シンプルに白で満足でした。

3月5日

コカ・コーラが家庭の備蓄品

　備蓄品といえばコカ・コーラ！　これはスイス人にとって暗黙の了解かもしれません。スイス政府は有事に備えて食料を備蓄していますが、その中にはコカ・コーラも含まれているといわれます。スイス人とコカ・コーラの関係は、第一次世界大戦や第二次世界大戦の頃にまで遡ります。当時は砂糖が大変貴重で、なかなか手に入りにくいものでした。そのため、戦地の兵士達が糖分を補給するために飲んでいたのが、コカ・コーラだったと伝えられています。その名残は今でも暮らしのあちこちにあり、コカ・コーラを好んで飲む人はたくさんいますし、スーパーの広告に登場する頻度も高めです。特売の週には、買い物カートいっぱいにコカ・コーラのパックを山積みしている人の姿もあります。近年はカロリーを気にする人も増え、コカ・コーラ ゼロが一番人気のようです。ちなみに、スイスで販売されているコカ・コーラは、スイス国内産の「メイド・イン・スイス」です。

3月6日

食卓に欠かせない調味料

　毎日の食卓に欠かせない、スイスを代表する調味料をご紹介します。手頃な価格で求められるのも魅力で、日持ちもするので、日本へのお土産にも喜ばれます。

- アロマット（Aromat）——スイスの人々が、どんな料理にも合う万能調味料として使用しているのが、ハーブとスパイスをブレンドしたアロマットです。これなしで調理をするのは考えられないというスイス人は多く、野菜、パスタ、卵料理、スープ、サラダだけでなく、ソースなどにも欠かせないという声も聞きます。山の食堂 <u>→ 345 / 365</u> などでは、テーブルの上に置かれていることもあります。

- セル・デ・ザルプ（Sel des Alpes）——塩鉱山として有名な観光地セル・デ・ザルプの塩は純粋かつ上質。パラパラッとふりかけて、いろんな料理に使用します。パッケージのデザインもアルプスと山羊が描かれており、スイスらしさ満載で素敵です。

3月7日

おやつタイムのツヌーニーとツフィーエリ

　職場や学校などでは、午前9時頃におやつ休憩をする習慣があり、これを「ツヌーニー（Znüni）」と呼んでいます。スイスドイツ語の「9（neun）」が語源だそう。スイスでは、早い人だと朝7時くらいから働いているので、午前中にお腹が空いてしまいます。ツヌーニーはひと働きした後のランチ前のコーヒーブレイクのようなもので、新聞を読んだり、同僚とおしゃべりをしたり、軽くスナックを食べたりするのです。小学校では午前10時にツヌーニーになることが多いようで、その時間にはみんないったん教室を出て、屋外で過ごします。雨が降っても、屋外の雨よけのある場所で過ごすのだそうです。子ども達はツヌーニー用のおやつを持参するのですが、お砂糖が入ったものは学校側からNGが出ているようで、クラッカーや野菜スティックなど、ヘルシーなものが主流です。午後のおやつの時間は「ツフィーエリ（Zvieri）」と呼ばれ、こちらは午後4時頃の休憩が一般的です。

3月8日

国際女性デー

　3月8日は「国際女性デー」です。ここ数年よく聞くようになった気がしますが、この日は「ミモザの日」とも呼ばれます。国際女性デーの起源は、1904年3月8日に、アメリカ ニューヨークで婦人参政権を求めたデモが行われたことだそうです。スイスでは1971年に初めて、女性の参政権が認められました。他の先進国に比べると、極めて遅いといえそうです。1981年には、男女平等と労働に対する平等の給与がスイス憲法に記されました。1985年9月の国民投票では、女性は家庭内で男性と同等の権利を与えられました。それまで、男性は妻に対して、法的権限を持っていました。夫が同意しない限り、妻が仕事をすることはできず、自由に住む場所も選べませんでした。また、夫の許可なしに銀行口座を開設することもできなかったそうです。男女平等になったこと、そして女性の自由を祝う意味でも、3月8日はスイスの女性達にとって、特別な日なのかもしれません。

3月9日

ザ・サークル（THE CIRCLE at Zurich Airport）

　スイスへの空の玄関口、チューリッヒ空港のすぐ隣に、商業・娯楽複合施設「ザ・サークル（THE CIRCLE）」が誕生しました。この施設の建築は、スイス最大規模のプロジェクトとして推し進められました。ひときわ目立つ三日月型をしたガラス張りの近代的な建物は、世界12か国90チームが参加したコンペで最優秀賞を獲得した日本の山本理顕設計工場により手掛けられました。巨大施設そのものが1つの街のような存在になっています。空港から徒歩でアクセスでき、20万㎡の広さの施設内には、オフィス、ホテル、住居、ショッピングセンター、レストラン、ギャラリー、病院、教育施設などが揃っています。人々が暮らす街の環境を備えており、今までになかったスタイルの生活空間になっています。ショッピングエリアは吹き抜けで、冬は冷気を感じますが、夜が長く爽やかな夏は、お買い物はもちろんのこと、テラスに腰掛けてアペロ →67/365 や食事を楽しめます。

3月10日

世界一の急勾配を走るケーブルカーと山の上の村

　シュヴィーツ州の「シュトース（Stoos）」は、冬はスキーなどのウィンタースポーツを楽しむ人、夏はハイキングの旅行者で賑わう、チューリッヒから日帰りでも行ける山岳リゾートです。交通規制がされている山の上の村は、ガソリン車の乗り入れが禁止されています。麓の駅から山頂駅までを結ぶケーブルカー「シュトースバーン（Stoosbahn）」は1933年から運行されていましたが、2017年に世界一の急勾配を走るケーブルカーとして生まれ変わりました。勾配は最大47度になるそうですが、水平を保つオートレベリング機能により、実際に乗車していても、さほど大きな傾きを感じません。標高約1,300mの山の上にある村までは、5分前後で到着。村には別荘やリゾートホテル、スイスらしさが漂うレトロな雰囲気の食堂などが点在しています。歩きやすいハイキングコースが整備され、村の中には馬車も走っています。

3月11日

山の食堂

スイスの山岳地帯や山あいでは、アルペンムード漂う山小屋風の食堂に立ち寄ることがあります。気軽に入れて、スイス料理中心の料理を味わえるこうした食堂は、スイスドイツ語で「シュトゥーブリ（Stübli）」と呼ばれています。どこのシュトゥーブリも温もりのある雰囲気で、カウベルやレトロな置き物などが飾られていて、スイスシャレー（山小屋）にいるような気分になれるのが嬉しいところ。スイス各地の建物はどこも暖房機能が優れているため、一般家庭でもお店でも、真冬に寒い思いをすることはまずありません。シュトゥーブリの中は暖炉に火が灯り、ポカポカしています。『アルプスの少女ハイジ』の物語に登場したような陶器のストーブ →301/365 があるお店もあります。パプリカ味の効いた、あったかいグラーシュ・スープ（「グヤーシュ・スープ」とも）はスイスでも人気。ピリッとしたパプリカ風味は、特にスイスドイツ語圏では好む人が多いようです。

3月12日

フライターグ

　1993年に、チューリッヒの再開発地区ハードブリュッケで誕生した「フライターグ（Freitag ／ドイツ語では「フライターク」と発音）」は、カラフルで実用的なバッグを販売するスイス発のブランドです。幌車タイプのトラックにつけられている防水シートをリサイクルしてバッグを作るという斬新な発想で、アップサイクルのさきがけともいえるメーカーです。財布やキーホルダーなどの小物も手がけており、日本を含む世界中に、350を超えるパートナー店があります。ユニークな形をした旗艦店のタワーは使用済みの資材を使用したもの。19個の錆びた貨物コンテナを積み上げて建てられており、遠くから見ても目立ちます。中に入ると、らせん階段の周りを取り囲むように商品が並んでいるのですが、階下が見える階段を上るのはちょっとスリリング！　この階段を使って、晴れた日にはチューリッヒ市内を見渡せるタワーの屋上まで上ることができます。

3月13日

民族衣装

　山岳地方のお祭りや結婚式などのお祝いの場面では、スイスの伝統的な民族衣装を身にまとっている人々の姿を目にします。ヨーデルを歌う場面でも、民族衣装はおなじみです。この民族衣装、もともとは17〜19世紀に、農家の人々が特別な日に身につけていたコスチュームが元になっているそうです。地域により民族衣装のスタイルはさまざまですが、女性用はビーズや刺繍で豪華な装飾が施されたドレスと帽子、男性用はジャケット、サスペンダーの膝丈ズボン、膝丈ソックスというものが多いようです。女性用の衣装は特注品のため、100万円以上するものもあるのだとか。『アルプスの少女ハイジ』→142/365 のアニメ番組でハイジが着ていた衣装は、紐編みの胸当てのあるスカートタイプで、アルプス地方の農家の女性達が着ていた「トラハト（Tracht）」に近いイメージのもののようです。どれも牧歌的なスイスを彷彿とさせます。

3月14日

WASABI人気

　日本食ブームが沸き起こり、お豆腐 →48/365 や日本の調味料なども、スーパーで手に入るようになりました。特にわさびが現地の人々に人気で、「WASABI」と称した商品が増えました。わさび味のドレッシング、ポテトチップス、ナッツ類、海苔（のり）、チーズまで！　日本国内で販売されているわさび関連商品よりも、わさびの風味が鼻にツーンとするほど効いていて、シャープな味わいです。スイスのSUSHI →302/365 は、日本のお寿司と違ってさび抜きで提供されることが多く、SUSHIの横にこんもりと盛られたわさびが添えられているか、ミニパックのわさびがついています。好きな量を自分でつけて食べるのがスイス人好みのようです。ガーデンセンターには、プランターで栽培するわさびが販売されていることもあります。栽培できる気候なのだろうか？という疑問もありますが、水がきれいなので、環境によっては、スイスでもわさびが育つのかもしれません。

3月15日

愛の南京錠

　チューリッヒ市内を流れるリマト川に架かる歩道橋「ミューレ橋 (Muhlesteg)」は、ちょっとロマンティックな場所。この橋には手すりに「愛の鍵」が取りつけられていて、新しい観光名所になっています。橋のフェンス部分に南京錠をかけ、鍵の部分は川に捨てるそうです。そうすることで、「カップルの愛でつながれた錠は開けることができない＝離れることができない」という意味合いになるそうで、永遠の愛を誓うのが目的なのだとか。現代らしいパドロック式の鍵もつけられています。橋の真ん中あたりにはちょうど2人が座れるサイズのベンチがあり、撮影スポットにもなっています。ガイドブックや旅行サイトなどでも紹介され、知る人ぞ知る、愛し合うカップル達の聖地となりつつあります。さほど大きくもなく、チューリッヒ州に住む私でも、知らなければわざわざ通らない普通の橋なのですが、恋人達の間では人気です。

3月16日

ジョーカーターク

　スイスの一般の小学校では、「ジョーカーターク（Jokertage）」と呼ばれる特別な休日があります。チューリッヒ州の小学校は年間、最長13週間の休暇が設けられていますが、ジョーカータークはそれとは別に、追加で2日間ほどの休みを取れる、ちょっとユニークなシステムです。一番の魅力は家庭の都合に合わせ、好きな日に休みが選べること。地域によりルールは異なるようですが、その年に休まずに、翌年まで持ち越せる学校もあるそうです。ジョーカータークをまるまる次の年に持ち越して、4日間をジョーカータークとして利用し、祝日とつなげて長めの休暇を楽しむ人もいます。学校の休みの始まりの週末や、祝日は駅や空港が混み合うため、この制度を利用し日にちをずらして家族旅行に出かけたり、日本への一時帰国の計画を立てる日本人もいます。親族の誕生日などのお祝いに参加するためにジョーカータークを消化する子どももいて、使い方は家庭によりさまざまです。

3月17日

アスコーナからの春便り

スイス南部ティチーノ州の「アスコーナ（Ascona）」は、マッジョーレ湖畔に佇む風光明媚なリゾートです。車で10分ほど走ると、国際映画祭 →137/365 でも有名なロカルノの町があります。湖岸には瀟洒な家々が建ち並び、南欧的なムードの漂うマッジョーレ湖は一部のスイス人の言葉を借りれば「スイスの地中海」なのだとか。スイスであって、スイスではないイメージの場所だといわれています。イタリア語圏なので、町にあるサインはもちろんイタリア語で書かれています。旧市街から続く湖岸の通りには、おしゃれな雰囲気のショップやレストランが並んでいます。リゾットも、ティチーノワイン →184/365 も、種類が豊富です。春が真っ先にやってくるこのエリアでは、3月中旬頃になると、通りの桜並木が開花し、春の訪れを感じさせてくれます。時計塔や壁画がある教会、ルネサンス様式の修道院、邸宅など、町には中世の面影が残り、訪れる人を魅了します。

352 / 365

サハラ砂漠の砂

　2月から3月頃にかけて、スイスを含むヨーロッパの一部地域に、アフリカのサハラ砂漠の砂、サハラダストが飛来します。日本に中国から黄砂が飛来するのと似たような状況です。スイスの一部地域では、アフリカ北西部からの砂の影響で、普段は青いはずの空全体がうっすらと黄色くなり、オレンジがかった茶色っぽい色合いを帯びて、珍しい黄色の輝きを放つこともあります。フランス語圏の地域ではかなり黄色く染まる様子が観測されたこともありますが、南部のイタリア語圏の地域では、空がまったく黄色くならないこともあるようです。小さな国とはいえ、地域により差があります。砂漠の砂は地中海を横切って吹き飛ばされてくるため、スペインやフランス、ドイツなどにもサハラダストが到達しています。遥か彼方のアフリカ大陸から、山を越え、海を越えて、砂漠の砂がヨーロッパまで到達するなんて、すごいことだと感じてしまいます。

3月19日

救急車は自己負担

　スイスでは救急車を呼ぶ場合、ほぼ自己負担です。住み始めた当時、この事実を知ったときには驚きました。料金は州ごとに異なりますが、1回のコールで日本円にすると10万円近くかかるのが普通で、場合によっては30万円以上というケースもあるそうです。ほとんどが保険対象外のため、実費で支払わなくてはなりません。中には救急車を呼ぶのにかかった費用をローンで支払う人もいます。そのため、よほどの事態でもない限り救急車は呼ばず、救命救急へ駆け込む人が多いのです。体調不良で救急車を呼んだ知人の話ですが、治療してもらった医師に「救急車は高いから、夜中に何かあった場合は、できるだけ自分で救命救急へ行ったほうがいい」とアドバイスされたそうです。サイレンを鳴らした救急車があまり走っていないのも、日本とは違うところです。もちろん、街中でサイレンを鳴らして走る救急車を見ることもありますが、ごく稀なことです。

3月20日

マグノリアの季節

　3月下旬頃から4月にかけて、モクレン属のマグノリアの花が咲きます。町で開かれるマルクト →329/365 には2月頃から、暖かなティチーノ州から到着した観賞用の枝木が、ひと足早く出回ります。マグノリアの木々は、町のあちらこちらで見かけます。美しい大輪の花は、実に華やかです。満開のときには大きな花びらが木々を埋めつくすほどになり、本格的な春の到来を感じさせてくれます。最も多いのはピンクの花ですが、紫や白っぽいマグノリアを見かけることもあります。一般家庭の庭先や道路沿いによく咲いていますが、中には巨大な木もあります。公園など自由に立ち入れる場所にある大きな木の下では、寝そべったり、座ってお花見をしている人々の姿もあります。桜 →1/365 は私有地や道路脇に咲いていることが多いのでお花見できる場所は少ないため、大きなマグノリアの木の下のお花見が、スイスらしい春の過ごし方だといえます。

3月21日

裕福なイメージだけど……

　裕福な国という印象が強いスイス。億万長者が多い国の世界トップ10に常にランクインされています。けれども、実はスイスにも貧困はあります。他の欧米諸国のように明るみに出ないのは、路上生活をする人がいないこと、また、それらの人々が貧困を認めるのを拒み、隠していることが理由だといわれています。年金受給者には、補足給付金（生活保護）を申請する人の数が毎年増えています。2021年には約265,100人が生活保護を受給したそうで、この数字はスイスの人口約870万人の3.1％に当たります。スイスの高齢者支援団体によると、1人暮らしをする65歳以上の女性の約3割は、貧困ラインを下回る生活をしているという調査結果だそうです。洋服を買うのは年に数回セールのときだけという女性や、築数十年の古いアパート暮らしで長期休暇など取ったことがないという人など、慎ましい生活をしている人々が実際にはいるのです。

356
/
365

3月22日

シェアする文化ではないのです

　スイスでも日本食を含むアジア料理が人気です。中華料理も人気な
のですが、スイスの人々は大皿をシェアしません。中華料理では、大
皿をいくつか頼んで、小皿に取り分けて食べますが、スイスの人々は
みんな1人1皿ずつ注文しているのが興味深いところ……。日本の居
酒屋風のお店で食事をするときも同じなのですが、スイス人は前菜、
そしてメインと、各人が1皿ずつ注文して、1つの大皿料理を他の人
とシェアして食べることはまずありません。食文化の違いで、どちら
が正解ということはありませんが、中華料理を4品注文して4人で分
け合って食べたほうがいろんな味を楽しめるのに……と思ってしまう
ことも度々あります。友人は、家族3人でいろいろと注文し、仲良く
シェアして食事を楽しんでいたところ、周りにいたスイス人らしきお
客さん達から奇異の目で見られたことが何度もあるそうです。食文化
と習慣の違いを感じさせられる生活風景の一場面です。

3月23日

スイスにもあった、花粉症

　3月頃から、スイス各地ではさまざまなタイプの花粉が飛びます。この季節、チューリッヒ湖畔の自宅のバルコニーの床は、日に何度掃除をしても、黄色い花粉で埋めつくされてしまうほど。ですからスイスにも花粉症があるのです。春の初めから飛び始めるさまざまな花粉は、夏の終わり頃まで続きます。かつて、アレルギー患者は存在しないといわれていたスイスですが、近年では花粉症の人が増え続けていて、気象庁は花粉飛散情報まで発信しています。スイスにはスギはありませんが、西洋ハシバミ、ハンノキなどに続き、白樺やブタクサなどの花粉が飛び、夏が近づくと、庭の芝生を刈るときの芝草に反応してしまう人もいるそうです。実は私も、芝刈りをしているそばを通った後にはクシャミが止まらなくなります。数年前まではまったく症状が出たことがなかったのですが、検査してみたら、白樺の花粉に「アレルギーあり」という驚きの結果が出ました。

3月24日

カプセルなしのカプセルコーヒー

　スイス人はコーヒーが大好きで1日に3杯以上飲む人がたくさんいます。2020年の国際コーヒー機関の統計資料によれば、1人当たりのコーヒー消費量において、スイスは世界2位とのこと。そんな中、大手スーパー MIGROS →57/365 が、「カプセルなしのカプセルコーヒー」を開発し、話題となっています。スイス人は環境保護にも関心が高いので、環境に優しい商品ということに注目する人も多いようです。この商品は、アルミニウムやプラスチックの代わりに分解可能なコーヒーボールのカプセルを導入しています。コーヒーボールは香りをしっかりと閉じ込めておくことができ、使用後は数週間以内に分解され、庭の堆肥（たいひ）にもなるそうです。どこまで人々の間に浸透してゆくのか？　スイスにはネスプレッソ →331/365 という最強のコーヒーカプセルのライバルがいますので、ビジネス上の宣戦布告に注目が集まっています。

3月25日

どこの移動にも便利なバス

　バスを使えば国内どこにでも移動可能だと思えるほど、各地にバス
の路線が整備されています。都市部や一般の住宅地域では、電車やト
ラムに加えて、市民の足となる地域バスが運行されています。電車と
の乗り継ぎで利用する人々も多いため、双方の乗り継ぎ時間を緻密に
計算してダイヤが組まれています。鉄道の駅前にバス停があるのが一
般的です。住まいの最寄り駅では、電車が駅に到着すると、目の前に
バスが待っています。乗車するとすぐに発車するので待つこともなく、
時間も正確です。チューリッヒ州では、2両連結のバスが多く走り、
トラムと同じくカラフルなラッピング車両 →239/365 のバスもやっ
てきます。スイスの地方を旅するときは、ポストバスが便利です。山
あいの町にも辿り着け、旅行者や地域住民の交通手段として利用され
ています。ポストバスは、ハイジのふるさと、マイエンフェルト
→142/365 の周辺などでも運行されています。

3月26日

地ビール

　チューリッヒ州の郊外の町に、ビールの醸造所「セーブーブ (Brauerei Seebueb)」があります。数年前までオフィスとして使用されていた建物が改装されて、現在はビール工場として稼働しています。できたての地ビールの直売も行っていて、入り口の扉を開けると、ビール独特の酵母の香りがプーンと漂ってきます。ここの地ビールは、軽やかな口当たりで風味があり、ほんのり甘めでなかなかの美味です。きっと土地の水も良いのでしょう。以前、別のビール醸造所のオーナーから聞いた話ですが、地ビール作りを始めるにあたり、いろんなタイプの水で試作を重ねたのだとか。結果、自宅近くに湧く地下水が一番おいしいことに気づき、その場所でこだわりの地ビールを作り上げたそうです。大手企業の有名ビールはもちろんのこと、小さな工場でこぢんまりと製造されるビールにも、味わい深いものがたくさんあります。

3月27日

自然な香りの化粧品 ビオコスマ

　スイスの自然化粧品のパイオニア「ビオコスマ（BIOKOSMA）」は、厳選されたハーブ成分を使用したオーガニック商品を開発しています。1935年の創業以来、自然派化粧品に特化し、厳選された高品質の原材料を使って、すべての商品をスイス国内で開発・製造しています。新規開発された商品には、本物の自然化粧品であることを保証する「NATRUE認証」を取得しているメーカーでもあります。スイスは乾燥しているので、肌荒れ対策にフェイスクリームやボディクリームが人気です。私も特に乾燥する季節には、目の下などにクリームを使用しています。敏感肌なので、海外のコスメは合わないこともあるのですが、このメーカーのクリームは安心して使えます。スイス国内の「COOP City」などの庶民派デパートの化粧品売り場で購入できます。使い初めはハーブの香りを少々きつめに感じる人もいるそうですが、自然な香りなので、次第に慣れるという声が多いようです。

28 | März

362 / 365

3月28日

運転免許証

　スイスでは、車の運転免許証の更新 →228/365 がありません。免許証は1度交付されると、ずっとそのままです。よく、「免許証の写真が実物よりもずっと若い！」と、話題になることもあります。かつては、小さなカード型の免許証ではなく、A4サイズくらいの紙を折りたたんだものでした。実物を見せてもらったことがあるのですが、古くなった紙はヴィンテージもの。その後、日本の免許証と同様のカード型になり、紙の免許証のほとんどがそちらに切り替えられました。私はペーパードライバーなので、スイスで運転をしたことがありませんが、移住したとき、住まいのある州警察署で免許証の書き換えを済ませたので、スイスの免許証を所持しています。従って、私の写真も20年くらい前の若い状態のままです！　高齢ドライバーは健康診断の受診が義務づけられていて、75歳以上になると、2年ごとに健康診断を受けなければなりません。

3月29日

自動販売機

　駅のホームやトラムの停留所などには、自動販売機が設置されています。品物ごとに番号がついていて、ほしい物の番号を押して購入します。支払いは現金の他、クレジットカード、デビッドカード、スイスのキャッシュレス決済「トゥイント（TWINT）」などが利用できます。チョコやスナック菓子、ミネラルウォーター、コーラなどの飲み物が1台の機械に一緒に入っていて、飲み物はすべて常温です。温かい飲み物も冷たい飲み物も買える点では、日本の自動販売機のほうが優れているような気がします。値段は全体的にスーパーより高めなので、暑い夏に冷たい飲み物がほしいときは、自動販売機は利用せず、スーパーに駆け込みます。治安のあまり良くない国だと、盗難で機械ごと持ち去られることがあるそうで、そもそも自動販売機を町に設置していない国もあります。日本と同様に自動販売機が置かれている光景は、スイスが治安の良い国である証のようにも感じます。

3月30日

庭先に小鳥がやってくる

　小鳥達のさえずりが賑やかな季節。ちょうど雛がかえった頃で、親鳥達は餌を運ぶのに大忙しです。スイスでは、巣箱を設置して野鳥を呼び寄せ、餌やり →241/365 をする家庭があります。ホームセンターで売られているのが、鳥の巣箱（バードフィーダー）です。人々はこれを手に入れ、巣箱に餌を入れ、庭先やベランダの片隅に吊り下げます。冬の間は森林に鳥の餌が不足するためです。近年はスイスの農家でも、農薬を使用して野菜や果物の栽培をするところが増え、自然界に住む鳥の餌が不足しがちだとも耳にします。かわいい野鳥がそばにやって来る様子を見たくて、巣箱を設置している人もいます。散歩していると、木に吊るされたカラフルな巣箱を見かけます。こちらはおそらく手作りのよう。餌をついばむ小鳥を子ども達が楽しそうに観察している姿が目に浮かびます。

31 | März

3月31日

チュース！（Tschüss！）

　スイスに来て最初に耳に響いたのが、「グリュエッツィ（Grüezi）→ 2/365」と「チュース！（Tschüss！）」です。どちらもドイツ語圏共通の挨拶ですが、「チュース！」は「さようなら」というより「じゃあ、またね！」といった軽い感じのお別れのときに使われます。友人などの親しい人に使うのが基本で、電話での会話の終わりに「チュース！」で締めくくっているのもよく聞きます。初対面でも距離感を縮めたいとき、若い世代の店員さんが接客してくれたときなど、帰り際に「チュース！」と声をかけられることも。ただし、相手が目上の場合は親しい間柄の人に限られ、初対面の人に使うことはまずありません。年長者を敬うのがスイスの人づきあいの基本なので、いきなりなれなれしい態度は NG。見た目と相手の年齢は判断がつかないことも多いので、私は「さようなら」は無難に「アウフ・ヴィーダーセーエン（Auf Wiedersehen）」を使用することが多いです。

工藤 香｜Kaori Kudo

https://swiss-machikado.blog

スイス在住歴20年目のライター。

スイス・チューリッヒ州の湖畔の街で、イギリス人の夫と共に暮らす。アルプスに囲まれた美しい国の自然と風景、人々の暮らしの様子や旬の話題、観光情報、知られざるスイスの姿、海外生活でのカルチャーショックなどを写真と文章でブログに綴る。ブログ『スイスの街角から』は「ライブドアブログ OF THE YEAR 2020」のブログニュース賞を受賞。自身のブログ、SNS以外でも、過去にはスイスのニュースを10か国語で配信するSwissinfoの公式ブログでライターとして、スイスでの生活情報を配信。日本の情報誌などにも、スイスの情報やエッセイなどを綴っている。

スイスの素朴なのに優雅な暮らし 365 日

アルプスと森と湖に恵まれた小さな国の 12 か月

▲▲▲▲▲▲

2024 年 3 月 18 日　初版第 1 刷発行
2024 年 5 月 21 日　初版第 2 刷発行

著　　者　　工藤　香　Kaori Kudo

Vielen Dank für

TRICOLOR PARIS ／ Mayu Ekuni ／ 東京散歩ぽ ／ Akiko Kusano
Yuko Ishikawa ／ Michi Nagamoto ／ Ikeko Kobashi

デザイン　　白畠かおり
編集協力　　渡辺のぞみ
本文 DTP　　株式会社シーエーシー
企画原案　　上野　茜
編　　集　　古村珠美

発 行 者　　石井　悟
発 行 所　　株式会社 自由国民社
　　　　　　〒 171-0033　東京都豊島区高田 3-10-11
　　　　　　電話 03-6233-0781（営業部）　03-6233-0786（編集部）
　　　　　　https://www.jiyu.co.jp/
印刷所　　　大日本印刷株式会社
製本所　　　新風製本株式会社